LES DÉMONIAQUES

SIMON HOLT

LES DÉMONIAQUES

1. la Nuit des Ombres

Traduit de l'anglais (États-Unis)
par Blandine Longre

hachette

L'édition originale de cet ouvrage a paru en langue anglaise chez Little, Brown and Company sous le titre :

THE DEVOURING
Sorry Night

Hachette Livre, 43 quai de Grenelle, 75015 Paris.

Prologue

Quand tombe la Nuit des Ombres, quelques jours seulement avant Noël, pensez à éteindre les lampes, à couvrir le feu de cheminée, et préparez-vous à passer la nuit dans le froid et l'obscurité.

Sinon, les Vores en profiteront pour prendre possession de vous.

Personne n'a jamais vu ces créatures, avides de chaleur et de lumière. Elles se nourrissent de vos peurs, guettant le moment propice pour vous dévorer corps et âmes.

Vous ne me croyez pas ? J'ai pourtant vu *ce dont elles étaient capables. Je n'étais qu'une enfant, mais j'ai tout vu. Et jamais je n'ai oublié.*

Depuis, je vis dans la crainte qu'elles m'inspirent. Une terreur qui ne m'a jamais quittée.

Ce soir-là, le soleil venait de se coucher quand Jeremy et moi, poursuivis par le vent glacial de décembre, sommes rentrés à la maison en passant par la porte de la cuisine. Pa se tenait près de la fenêtre, la main crispée autour de son verre. Le dos tourné, il contemplait le paysage enneigé. Dès que j'aperçus la bouteille de whisky sur la table, je compris que nous allions passer un sale quart d'heure.

Chaussé de grosses bottes et vêtu d'une salopette délavée, Pa était bâti comme un géant. Il se tourna vers nous et nous observa. Je lui rendis son regard en frissonnant. Ses yeux étaient vides de toute expression, aussi froids que les champs de neige qui entouraient la maison. C'était toujours ainsi quand il se mettait à boire. Je savais que depuis la disparition de Ma, une part de lui était morte avec elle.

— T'as pensé à rentrer les vaches ?

Je vis Jeremy pâlir.

— Oh... désolé, Pa, j'ai... j'ai oublié.

Mon frère me sourit. Pourtant, j'avais saisi à quel point il était terrorisé. Tout était de ma faute. Je l'avais supplié de me porter sur son dos et d'aller faire une promenade avant la tombée de la nuit, alors que nous n'avions pas encore terminé le travail que Pa attendait de nous. À cause de moi, Jeremy avait oublié de rentrer les vaches à l'étable.

— Qu'est-ce que t'as dans le crâne ?

— Mais...

— Rien. T'as le crâne vide ! Et je ferais mieux de te trouver un travail pas trop compliqué...

Pa fit retomber si violemment son verre sur la table que le whisky éclaboussa le bois. Il attrapa Jeremy par le bras et l'obligea à ressortir de la maison ; il s'empara au passage d'une corde et d'une lampe à pétrole, avant d'entraîner mon frère de force jusqu'au champ de maïs. Je les suivis en courant dans le noir, en glissant sur la boue gelée.

Pa se dirigea à grands pas vers le vieil épouvantail. Cloué à une croix de bois, il dominait le champ. D'un coup sec, il l'arracha de son support, puis détacha la tête de toile et de paille du corps et le jeta à terre. Il garda la tête dans son poing énorme. À cet instant, j'eus l'impression que Pa était un monstre tout droit sorti d'un conte.

Il lança la tête aux pieds de Jeremy.

— Regarde bien ! Ta tête vide ne vaut pas mieux. Allez,

grimpe sur ce poteau. Tu vas nous remplacer ce vieil épouvantail !

— Mais... il n'y a pas de maïs à surveiller... on est en hiver.

Il faisait si froid que de petites bouffées de vapeur s'échappaient de la bouche de mon frère.

— T'as raison : pas de maïs, pas de corbeaux à chasser... Tu vois, c'est un travail plutôt facile !

Pa poussa brutalement Jeremy contre le poteau de bois. Il attrapa l'un de ses poignets et l'attacha à la barre transversale à l'aide de la corde. Tandis qu'il nouait son autre poignet, je vis des larmes couler le long des joues de mon frère.

Moi aussi, je pleurais. J'avais de la peine pour lui. Il était de quatre ans mon aîné, mais je savais que du haut de ses 14 ans, il avait encore peur du noir. Il m'avait souvent confié que des créatures rôdaient autour de lui ; il était convaincu qu'elles se tenaient à l'affût, tapies dans l'ombre, prêtes à bondir. Il disait qu'on les appelait les Vores : des monstres maléfiques qui venaient chercher les enfants pendant la Nuit des Ombres...

Pa alluma la lampe à pétrole et la posa près du poteau.

— Pa, s'il te plaît...

La voix de mon frère frémissait, tandis que son corps était saisi de tremblements.

— Je t'en prie, ajouta-t-il. Quand tu veux, mais pas cette nuit...

— Jeremy va rester là longtemps ? demandai-je.

— Le temps qu'il comprenne.

Puis mon père m'obligea à repartir vers la maison. C'est ainsi que j'abandonnai mon frère à son sort, attaché au milieu de ce champ glacial. Je lui jetai un dernier coup d'œil par-dessus mon épaule. Son manteau s'était ouvert et la médaille de saint Gilles qui ne le quittait jamais scintillait à la lueur de la lampe. Je fis une prière silencieuse. Pourvu que saint Gilles protège Jeremy.

Pa m'envoya aussitôt au lit, mais je n'avais pas l'intention d'y rester. J'attendis un moment avant de me faufiler sans un bruit jusqu'à la cuisine.

Ivre mort, Pa dormait, le visage appuyé contre la table, la bouteille de whisky vide couchée sur le côté. Je passai mon manteau par-dessus ma chemise de nuit, enfilai mes grosses bottes et courus jusqu'au champ de maïs.

Aux pieds de Jeremy, la lampe projetait un cercle de lumière tremblotante qui se reflétait sur sa médaille. Celle-ci paraissait briller d'une lueur aussi vive qu'un cœur en feu, palpitant au centre d'une croix noire. Je me précipitai vers lui et me jetai à son cou, collant mon visage plein de larmes à sa peau glacée. Il claquait des dents et ses paupières étaient couvertes de givre.

— Elle s'approche…

— Je suis là, lui dis-je pour le rassurer.

Je tentai tant bien que mal de défaire les liens qui le retenaient prisonnier, mais mes doigts engourdis ne parvenaient pas à desserrer la corde.

— Tu ne la vois pas ? Regarde ! L'ombre… elle avance ! Elle vient pour moi !

Je lançai un coup d'œil autour de moi, mais ne vis rien, hormis la flamme vacillante de la lanterne, les masses noires de la grange et de la maison, les champs immaculés qui s'étendaient à l'infini, balayés par des vents gémissants.

— Il n'y a que moi, Jeremy ! Je vais te détacher.

— Non ! Elle se rapproche ! hurla-t-il.

— S'il te plaît… je vais t'aider.

— Chasse-la !

Soudain, la lampe s'embrasa et le verre, chauffé à blanc, vola en éclats. Je poussai un cri et couvrit ma tête de mes mains. Le pétrole éclaboussa le sol et de petites flammes surgirent dans la neige. L'épouvantail décapité qui était resté à terre prit aus-

sitôt feu, et j'entendis la paille crépiter. Une colonne de fumée, pareille à un immense serpent noir, s'enroula en volutes autour du poteau auquel était attaché mon frère et l'enveloppa tout entier.

Que Dieu me pardonne, mais je l'avoue : je m'enfuis.

Je courus aussi vite que je pus, malgré l'air froid qui me brûlait les poumons. Je voulais échapper aux hurlements de Jeremy qui me déchiraient les oreilles.

Je ne lui portai pas secours. Je ne lui vins pas en aide. Je n'essayai pas de le ramener à la vie.

Et n'allez pas croire que tout s'acheva ainsi.

Ce n'était que le commencement.

Le début de l'horreur. Pour lui, autant que pour moi.

Je courais toujours quand, tout à coup, ses cris s'évanouirent.

Cependant, ce que j'entendis fut pire encore. C'était la voix de mon frère. Oui, c'était bien la sienne, mais légèrement modifiée, plus grave, qui résonna sur le champ de maïs. On aurait dit un chant très ancien.

Un chant démoniaque.

« Les ténèbres se répandent et rongent la lumière,
Quand vient la Nuit des Ombres, enfouis ta peur,
Car aux heures les plus sombres de l'hiver,
Débute le festin des Vores...
Nul ne peut savoir
Que c'est ta vie qu'elles ont dérobée...
Ton corps demeure mais ton âme s'éteint... »

1

— Arrête, Margot ! Arrête tout de suite ! s'écria Henry d'une voix étouffée.

Margot Halloway referma le livre et regarda la couette sous laquelle le petit garçon s'était recroquevillé.

Leur mère les avait quittés plus d'un an auparavant, sans même prendre le temps de leur donner un baiser avant de filer. Elle avait seulement emporté une valise et un album de photos. Depuis, la jeune fille assumait des tâches qui, en temps habituel, n'auraient pas dû lui revenir. Pourtant, avec le lycée, les amis et le petit boulot du week-end, la plupart de ces corvées restaient en suspens sur de longues périodes ; il fallait alors que son père joue au gendarme pour que les choses se fassent enfin.

En revanche, Margot n'oubliait jamais l'histoire du soir, tant attendue par Henry.

Malgré tout, elle s'était vite lassée des incontournables livres pour enfants de son frère et avait décidé de le familiariser avec des récits plus croustillants. Et pour Margot, croustillant n'avait d'autre signification que « terrifiant ».

— Tu m'avais pourtant dit que tu n'aurais pas peur ! protesta-t-elle.

Elle vit la couette frémir.

— Les Vores… chuchota le garçon. Elles ont vraiment attaqué Jeremy ?

— Bien sûr que non ! C'est une histoire, Henry, rien d'autre.

— Mais… demain, Margot… On est le 22 décembre. Demain soir, c'est la Nuit des Ombres ! Comme dans le livre !

La jeune fille souleva la couette et contempla son frère de huit ans ; le petit, les yeux écarquillés, les cheveux en bataille, tenait un koala en peluche serré contre lui.

— Je n'aurais pas dû te lire ce truc… Je me doutais que tu aurais peur. Allez, il faut dormir maintenant.

Margot essaya de se lever du lit mais Henry la retint par le bras.

— Reste ! s'écria-t-il en blottissant son petit corps maigrichon contre celui de sa sœur. Me laisse pas tout seul !

À le voir aussi vulnérable, la jeune fille repensa aussitôt aux nouveau-nés qui, dans les documentaires animaliers, se pelotonnent contre la fourrure de leur mère, en quête d'un peu de chaleur. Henry et elle avaient longtemps été proches, malgré les sept années qui les séparaient. Mais depuis le départ de leur mère, les choses avaient changé. L'enfant cherchait à lui donner la main plus souvent que par le passé, se serrait contre elle sur le canapé quand ils regardaient la télé et, le soir, après le dîner, il débarquait sans prévenir dans la chambre de sa sœur, sans aucune raison valable. *Il a arrêté de grandir*, songea Margot. *Il redevient un tout petit garçon, terrifié en permanence.*

Elle n'en pouvait plus de le voir se raccrocher à elle. Elle étouffait.

Henry tendit la main vers le volume et, du bout des doigts, effleura la couverture craquelée de cuir marron du vieux livre – un journal que Margot avait déniché en déballant une des caisses livrées au bouquiniste pour lequel elle travaillait à temps partiel. Un titre manuscrit, écrit en pattes de mouche, était étalé sur la première page : *Les Démoniaques*. Comme s'il s'était agi d'un roman. Intriguée, elle l'avait glissé dans son sac à dos. Quand elle l'aurait lu, elle attendrait la prochaine livraison et le déposerait dans une autre caisse. Quel mal y aurait-il eu à cela ?

Elle y avait découvert un récit étrange, qui parlait de monstres surnommés « Vores ». Des créatures capables de prendre possession d'un corps et d'une âme, au moment où leur victime éprouvait une profonde terreur. Mais d'après l'auteur du manuscrit, cela ne pouvait survenir qu'une fois l'an, lors du solstice d'hiver : la Nuit des Ombres...

Quant au livre, elle ne savait pas quoi en penser. S'agissait-il du brouillon d'un roman ? Plus tard, des recherches en ligne lui apprirent qu'il n'existait apparemment pas d'ouvrage publié portant ce titre.

Le livre était épais. L'écriture tremblante et inclinée de l'auteur et une narration chaotique ne facilitaient pas le déchiffrage. Ses pages jaunies étaient parsemées d'esquisses et de symboles effrayants. Quant au texte, Margot ne parvenait pas à lui trouver de logique interne, ni de cohérence. Sans compter qu'il fallait démêler ce qui tenait du récit, des recherches kabbalistiques de l'auteur et de ses divagations frénétiques.

— J'aime pas avoir peur, Margot, se plaignit Henry. Alors, je me suis dit que... peut-être...

La jeune fille caressa la joue tiède de son petit frère et lui octroya un sourire fatigué.

— Compris, je ne te lirai plus d'histoires pareilles, d'accord ?

Henry fit oui de la tête. À l'autre bout de la chambre, Général Kwik, le hamster du garçon, courait comme un dératé à l'intérieur de sa roue en plastique.

— Pourquoi est-ce que tu aimes avoir peur, Margot ? demanda le petit garçon en bâillant.

— Plus question de bavarder ce soir. Si tu n'es pas endormi quand papa rentrera, on risque d'avoir de sérieux problèmes, toi et moi...

— S'il te plaît, réponds au moins à ma question !

Margot réfléchit quelques secondes.

— Eh bien, pour faire court... je crois que c'est un bon entraînement.

— Un entraînement ? À quoi ?

— Pour les fois où j'aurai vraiment peur de quelque chose.

— Je comprends pas... tu t'entraînes à te faire peur ? Exprès ?

— Réfléchis un peu. Si tu n'apprends pas à avoir peur, jamais tu n'apprendras à devenir courageux...

Sur ces mots, la jeune fille se leva, mais Henry lui saisit de nouveau le bras.

— Reste un peu... jusqu'à ce que je m'endorme. Me laisse pas tout seul...

Margot se rassit sur le lit en soupirant.

Bientôt, Général Kwik arrêta sa course et seule la respiration de Henry se fit entendre. La jeune fille se redressa et embrassa le front de son petit frère endormi.

— Tu n'es pas seul, Henry, chuchota-t-elle avec douceur. Je suis là, moi.

2

Durant la nuit, dix centimètres de neige étaient tombés sur la petite ville de Cutter's Wedge. Sur le chemin de l'école, Henry ne put résister à cet appel : il courait, sautait, donnait des coups de pied dans de gros monticules. Margot et son meilleur ami, Alex Cole, observaient le petit garçon qui gambadait comme un fou autour d'eux, aussi joyeux qu'un chiot à qui l'on a ôté sa laisse.

Alex arborait un chapeau de feutre qu'il portait incliné sur le côté, avec une certaine désinvolture. Pourtant, c'était là la moindre de ses bizarreries. Ses préoccupations – que ce soient sa passion pour les films d'horreur de série B, ses vastes connaissances dans le domaine des tueurs en série, ou son intérêt pour tout ce qui touchait aux complots gouvernementaux – ne faisaient pas de lui un simple excentrique ; en sa compagnie, on avait toujours l'impression de pénétrer un univers totalement décalé, en marge.

— Henry ! brailla Margot. Tu vas être trempé ! Ne viens pas te plaindre si tu te gèles les fesses en classe !

Alex leva les yeux au ciel.

— Tu t'es entendue ? Franchement, t'es une vraie rabat-joie.

— Qu'est-ce que j'ai fait ? répondit la jeune fille, l'air étonné.

Son ami prit aussitôt la voix d'un camelot, l'une des imitations les plus réussies de son répertoire.

— Ne manquez pas le nouveau roman du maître incontesté de l'horreur ! J'ai nommé Stephen King et son dernier chef-d'œuvre : *Margot* ! Un récit à vous glacer le sang, celui d'une ado qui se réveille un beau matin et découvre qu'elle est devenue... la mère de son frère !

Une boule de neige vint s'écraser contre le chapeau d'Alex et l'envoya valdinguer sur le sol.

— Dans le mille ! s'écria Henry. T'es mort, espèce de trouillard ! fanfaronna-t-il à quelques pas d'Alex, tout en façonnant une autre boule.

Le jeune homme ramassa son chapeau couvert de neige et l'épousseta.

— C'est ce que tu crois, *gamin* ! Tu vas voir ce qui t'attend... T'aurais jamais dû t'attaquer à mon chapeau !

Il tendit l'objet en question à Margot et s'élança à la poursuite de Henry, qui avait déjà pris ses jambes à son cou.

À la vue de son ami, qui agitait les bras en tous sens, tandis que ses longues jambes semblaient prêtes à s'emmêler, Margot songea à quel point il était gauche. Le cerveau d'Alex était une machine réglée comme du papier à musique, à laquelle il ne manquait que la coordination des mouvements. Cependant, cela ne l'empêcha pas de rattraper le jeune Henry. Il le saisit par l'arrière et tous deux roulèrent à terre, en riant et se bagarrant.

Margot arriva à leur hauteur.

— Ne lui fais pas mal, dit-elle.

— Promis, répondit Alex.

— Je m'adressais à Henry, précisa la jeune fille.

L'enfant réussit à se dégager de l'étreinte du jeune homme et s'essaya à plusieurs prises de kung-fu accompagnées de cris de guerre. Alex fit mine d'être terrorisé et couvrit son crâne de ses mains.

— J'abandonne ! T'as gagné !

— Ça t'apprendra ! On ne s'attaque pas aux plus forts que soi ! lança Henry d'une voix triomphante.

Sur ces entrefaites, il partit en courant, en direction du bâtiment de briques rouges qui abritait son école élémentaire, rejoignant les flopées de gamins qui y entraient.

Alex se releva. Margot brossa son manteau couvert de neige et lui rendit son chapeau, puis les deux amis traversèrent la rue pour se rendre au lycée de Cutter's Wedge.

La cour était bondée d'adolescents encore somnolents, appuyés contre les murs ou assis sur les marches ; des individus aux gestes semi-automatiques, soucieux de maîtriser les outils technologiques qui les isolaient les uns des autres, écouteurs aux oreilles, en extase devant leurs téléphones mobiles ou tapotant sur leurs ordinateurs portables, en communion muette avec les esprits de la Wi-Fi. Les quatre étages d'un vieil édifice de pierre se dressaient au-dessus de tout ce petit monde. Margot s'attendait toujours à découvrir une réincarnation d'Igor, un corbeau railleur perché sur son épaule[1], en train de la guetter depuis le toit du bâtiment.

Au lycée, Margot et Alex passaient plutôt inaperçus. Ils appartenaient à une catégorie bien spécifique, qu'Alex se plaisait à nommer les « Salut-ça-va-et-toi », car s'il leur arrivait de croiser le regard d'un élève d'une autre catégorie sociale dans les couloirs, ils recevaient un petit signe

---

1. Allusion au film *Le Fils de Frankenstein* (1939), où Bela Lugosi, célèbre acteur du cinéma fantastique, interprétait le rôle d'Igor, assistant du Dr Frankenstein. Le corbeau fait référence au film *The Raven* (1935), où le rôle principal était joué par Bela Lugosi.

de tête en échange et, parfois, un bref « Salut ! » Tous deux avaient ce qu'il fallait de copains et copines, avec lesquels traîner près des casiers ou au réfectoire ; mais leurs discussions se limitaient aux bavardages adolescents d'usage – quelle musique écouter, quelle émission regarder ou quel film aller voir, qui avait acheté quoi et où, sans oublier les bulletins d'information portant sur les nouvelles conquêtes ou les derniers chagrins d'amour des uns et des autres.

Alors que Margot et Alex gravissaient la volée de marches menant dans le hall d'entrée, les jumeaux Kassner se placèrent délibérément devant les portes afin de leur bloquer le passage. Chacun des garçons portait un polo à capuche sous un blouson noir, un jean sale et des bottines à coques d'acier. Leur crâne rasé et leur large torse leur donnaient des allures de brutes épaisses. Keech parlait rarement, Mitch jamais, et leur seule occupation dans l'existence se résumait en un mot : détruire.

Les Kassner vivaient avec leur mère. Ils venaient de Boston, qu'ils avaient été contraints de quitter après avoir eu affaire à la police – tous deux avaient été condamnés avec sursis. Ils devaient se présenter au commissariat une fois par mois et il leur était interdit de sortir après dix heures du soir. Mais personne ne savait précisément quel délit ils avaient commis. En revanche, depuis l'arrivée des jumeaux au lycée de Cutter's Wedge, il n'avait échappé à personne que quatre voitures appartenant à des élèves avaient été fracturées, que la remise où l'on rangeait les équipements de sport avait été incendiée ; mais aussi que la collection de fœtus de porc du labo de biologie avait disparu un matin, pour mystérieusement réapparaître à midi, au beau milieu du restaurant scolaire.

Cependant, la carrure et l'agressivité des garçons, qui

intimidaient la plupart des étudiants, étaient une aubaine pour l'entraîneur de football[1], qui les avait recrutés sur-le-champ comme plaqueurs droit et gauche. Ce statut semblait les autoriser à s'en prendre à qui ils voulaient, un privilège dont ils ne se privaient pas. Alex était l'une de leurs têtes de Turcs préférées depuis le jour où ils avaient eu vent d'une remarque sarcastique que le garçon avait faite en cours d'histoire, à propos du physique de Cro-Magnon des jumeaux.

Keech s'empara du chapeau de feutre d'Alex.

— Tu crois que ça te donne l'air d'un gros dur, Cole ? Tu te prends pour un gangster ?

Alex se contenta de baisser les yeux vers le sol.

— Arracher un chapeau ? Quel exploit ! Vous n'avez rien de mieux à faire ? intervint Margot, qui s'avança d'un pas en dévisageant les Kassner d'un œil furibond. À croire que votre cervelle est bien trop petite pour votre crâne épais.

Les jumeaux l'effrayaient atrocement, mais la jeune fille ne voulait surtout pas qu'ils s'en aperçoivent.

Keech lui tendit le chapeau d'Alex. Elle tenta de l'attraper mais le garçon, ramenant son bras vers lui, l'enfonça sur son crâne chauve.

— Comment tu me trouves ? demanda-t-il à Mitch.

Ce dernier ne se tourna pas vers lui, mais braqua son regard méprisant sur la jeune fille.

— Ouais... mon crâne *épais* y est un peu à l'étroit... ajouta Keech.

Il tira un canif de la poche de son blouson, l'ouvrit et fit une incision de chaque côté du chapeau, avant de le replacer sur sa tête.

---

1. Il s'agit ici de football américain.

— Parfait, constata-t-il, alors que la sonnerie de la première heure de cours retentissait.

La marée d'élèves qui attendait dans la cour commença à se diriger vers le hall d'entrée. Keech ferma rapidement son arme, la glissa dans sa poche, puis Mitch et lui pénétrèrent dans le bâtiment.

— Tu as fait ce que tu as pu, merci, dit Alex. Désolé, je suis une vraie lavette...

— Ce sont rien que des sales crétins, Alex. Tu vas pas t'en faire à cause d'eux, quand même ?

Tandis qu'ils se frayaient un chemin dans la foule afin de rejoindre leur salle de classe, une voix retentit derrière eux.

— Keech !

La grosse brute fit volte-face.

Margot jeta un coup d'œil par-dessus son épaule. Son regard se braqua sur Quinn Waters : un élève de première célèbre pour ses prouesses sportives tout autant que pour ses charmantes fossettes. Il se dirigeait vers eux d'un pas confiant, un sourire décontracté aux lèvres. Grand, mince et svelte, les cheveux bruns et bouclés, il était considéré comme le meilleur *quarterback*[1] de toute l'histoire du lycée : un dieu vivant vêtu, ce jour-là, d'un polo de rugby.

— Le chapeau ! lança-t-il.

Keech le fixa un instant. Puis lui renvoya l'objet, qui plana au-dessus des têtes. Quinn l'attrapa d'une seule main et le rendit à Alex, tout en considérant d'un air soucieux les incisions que Keech lui avait fait subir.

— Désolé, mec. Je les tuerais volontiers de mes propres

1. Quart-arrière, joueur qui dirige l'offensive au football américain.

mains, s'ils ne m'étaient pas aussi utiles sur le terrain quand il s'agit de former une poche de protection[1]...

— C'est du jargon sportif, Margot, précisa Alex. Ça veut dire...

— Je sais ce que ça veut dire, rétorqua la jeune fille en donnant un coup de poing dans le bras de son ami.

Quinn décocha un grand sourire à Margot.

Alex se tourna vers elle pour s'apercevoir qu'elle était entrée dans une sorte de transe : comme hypnotisée, la bouche légèrement entrouverte, elle ne parvenait pas à détacher les yeux du quarterback.

— J'ai une affaire à conclure, moi, chuchota Alex en se penchant vers elle. Arrête de baver devant lui...

Comme si j'avais l'ombre d'une chance avec un type pareil, songea-t-elle. Quinn appartenait à la catégorie des garçons inaccessibles, et ne sortait qu'avec des filles de son rang. Margot était loin d'être laide, mais dans son genre, elle était plutôt quelconque. Si on avait tourné un film dans le lycée, elle n'aurait eu qu'un rôle de figurante. Sa garde-robe était composée de tee-shirts ou de pulls unis et discrets, de jeans, de baskets ou de Pataugas achetés dans des surplus militaires. Elle ne possédait, selon elle, qu'un seul atout : sa longue chevelure brune aux intenses reflets chocolat, qu'elle ne pouvait pourtant jamais coiffer comme elle aurait voulu, tant elle avait de travail le matin – entre le petit déjeuner à préparer et les instants à consacrer à Henry. La plupart du temps, elle se faisait une queue-de-cheval, qui retombait en boucles dans son dos. Quant au maquillage, elle n'en abusait guère, mais elle avait de beaux yeux sombres et lumineux. Selon Alex, son regard lui don-

---

1. Les défenseurs (dont font partie les plaqueurs) forment une poche de protection afin de protéger les quarterbacks.

nait des allures de « femme fatale ». Venant de lui, il s'agissait d'un beau compliment, mais elle doutait que ce soit du goût de Quinn.

Alex fouilla dans son sac à dos et en sortit une chemise en papier kraft. Il jeta des regards furtifs autour de lui tandis qu'il la tendait à Quinn ; ce dernier lui remit un billet de cinquante dollars en échange.

Le quaterback ouvrit la chemise et vérifia le devoir de cinq pages, impeccablement présenté, qu'elle contenait.

— *« Le dilemme d'Hamlet »*, lut-il. Ça suffira pour avoir un B plus ?

— Ouais.

— Cool.

Cela faisait deux ans qu'Alex avait monté sa « petite entreprise ». Au départ, ça n'avait pas été simple, il lui avait fallu trouver le ton adéquat pour écrire des dissertations à peine plus réussies que celles qu'un élève comme Quinn aurait pu être capable de rédiger. Il en était venu à ne garder que six ou sept clients réguliers, une formule qui lui convenait. Cela lui procurait une source de revenus stables et lui avait permis de gravir un échelon dans l'échelle de popularité du lycée. Margot trouvait ces pratiques immorales et illégales. Alex lui donnait raison, mais considérait que ces activités le préparaient efficacement à la vie active.

Il empocha l'argent et s'apprêtait à partir quand Quinn leva les yeux vers lui et l'interrompit.

— Attends une seconde. Dis-moi ce que...

— Désolé, il me reste trois livraisons à faire... Si t'as une question, demande à ma petite protégée, ajouta-t-il en adressant un clin d'œil à Margot.

Alex disparut dans la foule, laissant son amie et le

quaterback en tête à tête. Malgré le nombre incalculable de lycéens qui passaient devant eux, il sembla à la jeune fille qu'aucun n'omettait de lancer un « Salut, Quinn ! » ou un « Comment va, Quinn ? » ou encore un « En forme, mec ? »

Comment faisait-il pour pouvoir répondre « Salut ! » à une centaine de personnes par jour ? Cela la dépassait.

Quinn la scruta un instant.

— Halloway, c'est ça ?

Margot n'en revenait pas. Il connaissait son nom ?

— Mmm, acquiesça-t-elle en marmonnant.

— T'es en seconde ? demanda-t-il. Je crois que tu travailles dans la même salle d'étude que moi.

Elle parvint à hocher la tête une seconde fois.

— Moui.

Sa salle d'étude était effectivement la même que la sienne, mais jamais elle n'aurait cru que le champ de vision de Quinn pouvait atteindre le bureau qu'elle occupait au fond de la pièce.

Il examina de nouveau le devoir qu'Alex lui avait fourni et le feuilleta d'un air soucieux. C'était la première fois que Margot le voyait sans son léger sourire désinvolte aux lèvres – un sourire parfait. À présent, ils se trouvaient presque seuls dans le hall d'entrée. Elle prit son courage à deux mains :

— Qu'est-ce qui ne va pas ?

Quinn leva les yeux.

— Hein ?

Margot avait la bouche sèche. *C'est ridicule*, pensa-t-elle. *Je n'ai rien à voir avec ces filles qui tombent dans les vapes dès qu'un type un peu mignon s'adresse à elles.*

— Tu as l'air... un peu... j'en sais rien..., bégaya-t-elle.

Zut, il doit sûrement me prendre pour une attardée mentale.

— On aurait dit, euh… reprit-t-elle, que… quelque chose n'allait pas.

Les yeux vert pâle de Quinn ne la quittaient pas. Il prit un chewing-gum, le mit dans sa bouche et se mit à mâcher avec nervosité.

— J'ai littérature en première heure… c'est-à-dire maintenant… et, euh…

— Et tu n'as pas lu *Hamlet*.

L'air gêné, il lui sourit. Un sourire pourtant différent de celui qu'il affichait d'habitude. Plutôt triste et un peu en coin. Margot se rendit compte qu'elle assistait à un événement historique : Quinn Waters était un être humain ! Lui aussi avait des défauts. Il n'était pas parfait. Et semblait même manquer de confiance en lui. Elle avait l'impression d'être face à un comédien qui avait délaissé son rôle, l'espace d'un instant.

— Ne te fie pas aux apparences, d'accord ? Je ne suis pas qu'un imbécile de sportif. Moi aussi je peux écrire des dissert'. Je l'avais commencée, la pièce, j'ai lu tout ce truc avec le fantôme de son père. Mais ensuite, j'ai eu trop de devoirs d'un coup…

Il était si près d'elle que Margot sentit les battements de son cœur s'accélérer.

— M'en parle pas, les profs adorent nous surcharger de boulot avant les vacances. À croire qu'ils se donnent le mot, ajouta-t-elle en faisant mine de ployer sous le poids de sa sacoche.

Soudain, la bride du sac se cassa net et les livres et les classeurs de Margot se répandirent sur le sol.

— Merde !

Elle rougit et regretta de ne pas pouvoir grimper dans la sacoche vide pour s'y cacher. Dire qu'elle avait tout juste réussi à lui parler comme une personne normale.

Elle s'agenouilla, se mit à rassembler ses affaires et à les fourrer dans son sac. Quinn se pencha pour l'aider et ramassa le journal avant qu'elle puisse l'en empêcher.

— C'est quoi ça, *Les Démoniaques* ? demanda-t-il en l'examinant avec curiosité.

— Hein ? Oh, ce truc. Juste une histoire de monstres. Écrite sous la forme d'un journal. Je collectionne...

Elle marqua une pause. *Ça y est, j'ai l'air d'une crétine,* se dit-elle.

— Je suis une fan des histoires d'épouvante, des films d'horreur, et je collectionne les machins de ce genre, reprit-elle. Oui, je sais. Tu dois trouver ça zarbi...

Quinn l'aida à se relever.

— Mais non, pas du tout. Au contraire, c'est plutôt cool. Très cool.

— Très cool ? répéta-t-elle, étonnée.

— Bon d'accord, t'es zarbi, lança-t-il en riant et en passant une main dans ses cheveux. Mais pas totalement. Sinon, tu ne serais pas si mignonne...

Il s'interrompit brusquement, comme s'il avait du mal à croire qu'il venait de la complimenter à haute voix. Margot sentit le rouge monter à ses joues.

— Bon... euh... revenons à *Hamlet*.

— C'est vrai, *Hamlet* ! Je l'avais oublié, celui-là.

— Je t'explique en gros : il sait que son oncle a tué son père et il n'arrête pas de se demander s'il doit se venger ou non.

— Et ? Il se venge ?

— Ouais, mais trop tard. Il empoisonne son oncle et ensuite…

— Il meurt, c'est ça ?

— Tout le monde meurt dans Shakespeare.

— Cool.

Quinn jeta un coup d'œil à l'entrée vide.

— On va être en retard. Il faut que j'aille rendre mon devoir. Merci pour le coup de main.

— De rien, répondit Margot en le regardant avec l'admiration que les chiots réservent habituellement à leur maître.

Il s'éloigna de quelques pas avant de se retourner.

— On se retrouve en salle d'étude ? Je te garde une place.

Elle acquiesça, encore sous le choc, sans parvenir à croire à ce qui venait de lui arriver.

3

Le vent faisait vibrer les volets de la chambre. On aurait cru qu'un inconnu essayait de pénétrer dans la maison.

Margot était étendue sur son lit, par-dessus la couette, feuilletant un vieux numéro du *Caveau de l'Horreur*[1] d'un air absent. Près d'elle, assis en tailleur sur le sol, Alex lisait un passage des *Démoniaques* à voix haute.

— « *Elles rôdent dans le froid et l'obscurité. Affamées, malfaisantes, elles attendent l'occasion de dévorer les faibles pendant la Nuit des Ombres. Quand les Vores ont trouvé une proie, c'est leur festin d'un soir. Elles se repaissent de tes peurs. Elles volent ton âme mais ton corps demeure. À l'insu de tous...* » Je ne sais pas qui a écrit ce journal, mais il était fou à lier, c'est évident, fit-il observer en levant les yeux vers Margot.

— Pourtant, tu l'adores, ce truc, répondit-elle en écartant le magazine.

— Ouais, tu peux le dire ! s'écria-t-il en riant. Depuis que tu me l'as prêté, j'arrive plus à me sortir cette histoire de la tête. Bon, il est toujours prévu d'aller rendre visite aux Vores, ce soir ? En s'aidant de quelques rasades de bloody mary ?

---

1. *The Vault of Horror* : magazine de bande dessinée fantastique publié entre 1950 et 1955.

— Si tu fournis de quoi boire, pas de souci, répliqua-t-elle en souriant. Il faut qu'on éprouve une véritable terreur. C'est comme ça qu'elles ont pu s'emparer de Jeremy.

— Et si je me fais dévorer, tu viendras me secourir ?

— Ça risque pas.

Margot sortit un briquet de sa poche et alluma les trois bougies noires posées sur la table de nuit, avant d'éteindre la lampe de chevet.

— T'es prêt à affronter *ta peur* ?

— J'y crois pas, on est super zarbi, sur ce coup... fit Alex.

Derrière lui, leurs ombres gambadaient sur le mur, projetées par la flamme tremblante des bougies.

— C'est le premier soir des vacances, reprit-il, les autres font la fête, et nous, tout ce que...

— Pourquoi t'as mis des bougies, Margot ?

Henry se tenait sur le pas de la porte, en train de se gratter machinalement les fesses par-dessus son pyjama.

Sa sœur fronça les sourcils.

— T'es censé dormir.

Il bâilla avant de répondre.

— Pas fatigué. Mais vous, qu'est-ce que vous faites ?

Margot se leva et lui indiqua la sortie.

— Retourne te coucher.

Dehors, une bourrasque de vent poussa un hurlement, auquel les volets répondirent en vibrant de plus belle. Le visage du petit garçon se crispa.

— C'est à cause de la tempête, j'arrive pas à me rendormir. Je devrais peut-être rester avec vous.

— T'as essayé, répondit sa sœur, ça n'a pas marché. Maintenant, tu files au lit.

— Mais papa n'est pas là ce soir ! Je peux rester avec toi, il le saura pas...

Quand leur père devait partir en déplacement, Margot savait qu'elle n'aurait pas plus de liberté que d'habitude. Encore moins, en réalité. N'importe quel adolescent en aurait profité pour organiser une fête, mais la jeune fille devait se contenter d'un tout autre genre de fête : garder son petit frère sans être payée en retour.

Elle s'approcha de lui d'un air menaçant.

— Au lit !

Henry baissa la tête.

— D'accord.

— Dors bien, lança Alex.

— Bonne nuit...

— Allez, viens. Je vais te border.

Ils se rendirent dans la chambre de Henry. Celui-ci poussa un glapissement quand sa sœur l'attrapa et le jeta sur son lit.

— Qu'est-ce que vous allez faire, Alex et toi ? demanda-t-il en se tortillant sous ses couvertures.

— C'est pas tes affaires, répliqua-t-elle en se dirigeant vers la porte.

— Attends ! Je vais peut-être faire des cauchemars...

— C'est encore à cause des Vores que tu t'inquiètes ? Henry, il s'agit seulement d'une histoire, elles n'existent pas pour de vrai.

— Mais ce soir, c'est la Nuit des Ombres !

Margot s'assit sur son lit.

— Écoute, si tu as peur, il te suffit de fermer les yeux et de penser à quelque chose de très agréable. Un souvenir, un endroit qui te plaît, ou quelqu'un que tu aimes. Ça protège des cauchemars, à cent pour cent. Avant même de t'en rendre compte, tu seras endormi. D'accord ?

— D'accord.

Le petit garçon embrassa la joue de sa sœur puis s'allongea de nouveau en remontant les couvertures jusqu'à son menton.

— Bonne nuit, Margot.

— Toi aussi, fais de beaux rêves.

De retour dans sa chambre, elle eut l'impression qu'il y faisait plus froid. Alex avait l'air macabre à la lueur des bougies. Il avait le teint cireux et des ombres avaient gagné ses orbites. Le cœur de Margot s'accéléra quand il sortit quelque chose du sac à dos qui se trouvait près de lui. Un bocal. À l'intérieur, elle vit une silhouette sombre qui se déplaçait.

— Tout va bien ?

— Tu veux parler de Henry ? Oui, ça va. Même si l'histoire des Vores lui a un peu foutu la trouille.

— À moi aussi.

Il leva le bocal en direction de son amie, comme s'il lui proposait de trinquer.

— Prête ?

— Non. Mais c'est la seule nuit où nous pouvons le faire.

Margot ferma les yeux, serra les dents et tendit la main. Elle entendit le couvercle du bocal crisser. Alex venait de l'ouvrir.

— Dans ce cas, c'est parti, lança-t-il.

Quelque chose avança sur sa paume et une sensation de picotement l'envahit. La chose se déplaça d'abord lentement, explorant ses phalanges avant de remonter le long de ses doigts. Des pattes pointues détalèrent vers son pouce. Margot tressaillit.

— Ouvre les yeux, ordonna Alex. Affronte ta peur.

La jeune fille risqua un coup d'œil. Sa peur avait l'apparence d'une araignée-loup au corps gonflé et aux pattes velues. Si grosse qu'elle faisait presque la largeur de son poignet.

— Bon sang, murmura Margot, en réprimant un mouvement de recul.

L'araignée parut sentir sa peur, et grimpa à toute allure le long de son bras.

— Il y en a encore pour longtemps ?

— Plus que quarante-cinq secondes, répondit Alex après avoir vérifié le chronomètre qu'il tenait à la main. Quarante-quatre...

La jeune fille ferma de nouveau les yeux et, paupières serrées, sentit l'animal atteindre son cou, puis ses cheveux, gravir son crâne en traînant son abdomen lourd sur son cuir chevelu et redescendre sur son front. Prise de nausée, Margot avait la chair de poule – comme si sa peau cherchait à se défendre et à repousser l'araignée.

Les pattes de l'animal effleurèrent ses sourcils et s'immobilisèrent sur le bout de son nez. La jeune fille voulut hurler, mais seul un faible croassement sortit de sa gorge serrée.

— Cinq... quatre... trois... deux... un. Bravo ! lança Alex.

— Enlève-moi ce truc de là ! s'écria-t-elle d'une voix perçante, tout en passant vivement la main sur son nez.

L'araignée atterrit sur le tapis et détala dans un coin avant qu'Alex ait eu le temps de la rattraper. Margot, qui avait encore l'impression de sentir les petites pattes sur sa joue, continuait de se frotter le visage tout en sautillant d'un bout à l'autre de la pièce.

— Génial ! Cette horreur est planquée quelque part dans ma chambre… marmonna-t-elle une fois qu'elle fut calmée.

— Bientôt, tu vas trouver des bébés araignées plein ton tiroir à chaussettes ! répliqua Alex d'un ton radieux. Bon, est-ce que t'es une Vore, maintenant ?

— Je crois pas, répondit Margot en frissonnant. De toute façon, si j'en étais une, comment le saurais-tu ?

— T'as raison, dit-il en donnant un petit coup sur le front de la jeune fille. Je sais que ma copine est une vraie ratée, mais dis-moi ce que tu as fait d'elle, espèce de sale Vore ?

— Moi… encore… faim… dévorer… ta… peur… rétorqua Margot avant d'attraper Alex par le poignet et de l'entraîner derrière elle vers l'escalier qu'ils dévalèrent.

Ils s'arrêtèrent sous la véranda qui se trouvait à l'arrière de la maison. Là, le rire de la jeune fille fut couvert par les mugissements du vent.

Scouic. Scouic. Scouic.

Général Kwik ne se lassait pas de courir dans sa roue métallique. Parfois, il trottinait la nuit entière en faisant tout un tas de petits bruits, mais cela ne dérangeait pas Henry, qui aimait savoir qu'il avait un ami près de lui dans le noir.

Surtout cette nuit-là.

Dehors, la tempête battait son plein ; des rafales de neige tourbillonnaient contre les vitres, comme si des fantômes cherchaient à entrer afin d'échapper au froid, et leurs lamentations faisaient vibrer la bâtisse.

Henry enfouit son visage sous la couverture et se boucha les oreilles. Pourquoi avait-il oublié de demander à Margot de fermer les volets ? Elle lui avait conseillé de penser à quelque chose d'agréable… Il s'efforça d'énumérer ce qu'il aimait à cette période : faire du snow-board, des promenades en traîneau avec sa sœur, boire un chocolat chaud, recevoir ses cadeaux de Noël…

Sa sœur… il ne l'entendait plus, malgré le conduit d'aération qui communiquait avec sa chambre.

Les lamentations du vent reprirent de plus belle. Elles lui semblèrent plus proches encore. Le petit garçon sortit la tête de sous la couverture et jeta quelques regards paniqués autour de lui.

D'habitude si rassurante, la lueur bleutée du pingouin qui servait de veilleuse lui faisait l'effet inverse. Tout lui semblait submergé par les eaux. Cristallisé, comme pétrifié. Même Kappi le koala, sa peluche préférée, avait l'air sinistre, et son ombre difforme qui se répandait sur le sol paraissait projetée par une créature malfaisante.

Henry repensa à l'histoire de Jeremy, abandonné dans l'obscurité pendant la Nuit des Ombres, terrifié, avec pour seul réconfort une lanterne allumée à ses pieds. Les Vores avaient été attirées par lui, comme des papillons de nuit autour d'une flamme.

La lumière dispensée par la veilleuse vacilla.

Les ténèbres se répandent et rongent la lumière…

Sa respiration s'accéléra.

À l'extérieur, une autre bourrasque glacée mugit et il sentit les murs frissonner autour de lui. Brièvement, la veilleuse parut flamboyer, un brusque grésillement se fit entendre, puis elle s'éteignit tout à coup.

La chambre fut plongée dans l'obscurité.

Henry se mit à trembler. Il était seul. Dans le noir.

Il quitta son lit et traversa la pièce à tâtons.

— Margot ? appela-t-il.

Il sortit dans le couloir, qu'il remonta lentement, ses mains prenant appui contre le mur. Précipitamment, il ouvrit la porte de la chambre de sa sœur. Sur la table de chevet, trois bougies noires finissaient de se consumer ; leurs flammes, de minuscules points lumineux, éclairaient à peine la pièce vide.

— Margot ? Alex ?

Aucune réponse.

Soudain, les volets vibrèrent et tapèrent contre la fenêtre ; un courant d'air glacial balaya les petites flammes. Henry courut jusqu'à sa chambre, se jeta sur le lit et se blottit sous les couvertures, le souffle court.

Margot et Alex… ils étaient partis.

Quand vient la Nuit des Ombres, enfouis ta peur…

Sa mère lui manquait, mais elle n'était plus là elle non plus. Elle était partie. Pour toujours.

Margot lui avait dit d'imaginer quelque chose d'agréable. Un souvenir, un endroit qui lui plaisait, ou quelqu'un qu'il aimait. Le petit garçon ferma les yeux et essaya de se souvenir du jour où ils étaient allés à la fête foraine en famille. Il repensa à la barbe à papa sucrée fondant dans sa bouche, au manège, du haut duquel il avait fait signe à ses parents, au tir au pistolet à eau, qui lui avait permis de gagner Kappi le koala, à la chevelure brune de sa mère, étincelante au soleil de ce mois de juillet…

— Pourquoi nous as-tu abandonnés ? murmura-t-il, tandis que des larmes coulaient jusqu'à la commissure de ses lèvres. Reviens, maman. S'il te plaît… reviens.

Personne ne répondit à ses supplications, hormis le

vent hurlant qui le submergea de peur, glaça ses pensées, et parut se solidifier pour donner naissance à une chose sombre et macabre... Et bientôt, il se sentit aspiré vers le sommeil par une créature vivante et affamée...

La neige continuait de tournoyer contre la fenêtre, mais les tristes bourrasques se faisaient moins fréquentes. La tempête s'éloignait. La douce mélodie d'un orgue de barbarie à vapeur résonnait dans le lointain... une musique de fête foraine.

Car aux heures les plus sombres de l'hiver...

Henry vit la poignée qui tournait. La porte s'entrouvrit, juste assez pour laisser passer un pâle rai de lumière orangée et un courant d'air frais qui apporta avec lui une odeur de pop-corn beurré et de sucre en poudre. Le petit garçon se recroquevilla sous la couverture.

— Margot ?

Aucune réponse. Tout était silencieux. Quand une silhouette apparut sur le seuil. Ses longues boucles brunes, ses grands yeux bleus et son merveilleux sourire semblaient plus vrais que nature, à la fois réels et bien vivants.

Débute le festin des Vores...

— Maman ?

Sans un bruit, elle traversa la pièce et vint s'asseoir à sa place habituelle sur le lit de Henry. Son bras, mince et gracieux, se dirigea vers la lampe de chevet. La chaîne de métal tinta contre le pied en céramique.

Le petit garçon observa le beau visage de sa mère à la lueur de la lampe. Elle était là. Il essuya ses yeux remplis de larmes.

— Maman... c'est vraiment toi ?

— Oui, mon ange. Tu m'as appelée et je suis venue.

C'était sa voix. Son visage. Ses cheveux et son sourire. C'était bien *elle* !

Henry s'agrippa brusquement à sa mère et enfouit son visage contre sa poitrine. Mais plus il se serrait contre elle, plus il frissonnait.

Nul ne peut savoir

Que c'est ta vie qu'elles ont dérobée...

— Tu es toute froide, maman, sanglotait le petit garçon en palpant les vêtements de sa mère, dans l'espoir de sentir la chaleur de son corps. Tu es si froide...

— Oui, mon chéri. J'ai très froid. Mais bientôt, j'aurai chaud de nouveau.

Elle enroula ses bras autour du corps tremblant de Henry.

À cet instant, un léger vent froid s'insinua dans la chambre et l'ampoule de la lampe perdit de son intensité. Du givre apparut sur la vitre et la couvrit de formes dentelées, semblables à des toiles d'araignée gelées qui s'entrelaçaient aux ténèbres. Henry, agité, cherchait en vain un peu de chaleur et se raccrochait au mince espoir de recevoir un peu d'amour.

— Est-ce que je suis en train de rêver, maman ? Je ne veux pas que ça soit un rêve... J'ai tellement peur.

— Je sais, mais je suis là, Henry, près de toi. Je serai toujours là.

Sa peau au teint d'ivoire ondulait, pareille à de l'eau, et de minces volutes de fumée noire et glaciale suintaient de sa bouche et de ses narines.

— Tu n'as rien à craindre...

Ton corps demeure mais ton âme s'éteint...

Le petit garçon ferma les yeux et se laissa envahir par les ténèbres.

Margot tirait vers elle le couvercle de la baignoire ronde[1] qui se trouvait sur la terrasse, à l'arrière de la maison, tandis qu'Alex la regardait faire. Le poids de la neige qui était tombée peu de temps auparavant ne lui facilitait pas la tâche, qui lui demandait plus d'efforts qu'à l'accoutumée. Le couvercle finit pourtant par basculer. Un épais nuage de vapeur s'éleva de la surface de l'eau et vint s'enrouler autour d'eux. Le chauffe-eau du dispositif fonctionnait encore, mais les gicleurs à bulles étaient en panne depuis des mois. Ce n'était qu'une des nombreuses choses que le père de Margot n'avait pas eu le temps de réparer depuis le départ de sa mère. Dans l'obscurité, l'eau paraissait noire comme de l'encre et l'appareil avait des allures de chaudron géant.

La tempête de neige s'était éloignée mais l'air restait vif et glacial, et la vapeur qui s'échappait du réservoir ne suffisait pas à réchauffer l'atmosphère. Au-dessus de leurs têtes, un ciel sans étoiles recouvrait le monde, pareil à une tombe.

— Ça caille vraiment, Alex. T'es certain de vouloir le faire ?

— Je vais pas me dégonfler maintenant.

Il se sentait déjà ridicule, affublé de tongs en plastique, d'un caleçon de bain aux motifs hawaïens et d'un épais peignoir en tissu éponge qui appartenait à Margot. Malgré les frissons qui le parcouraient, et qui ne devaient pas grand-chose au froid, il refusait d'abandonner.

— D'accord. Prêt ?

Le jeune homme acquiesça. Il se débarrassa des tongs et du peignoir, en espérant que l'obscurité dissimulait

1. Il s'agit d'une sorte de large tonneau en bois qui s'installe à l'extérieur et permet de prendre des bains à bulles, chauds et relaxants.

la pâleur de son corps, mais surtout sa terreur grandissante. Margot avait supporté qu'une énorme araignée se promène sur elle pendant une minute. Il pouvait bien rester immergé autant de temps. Il s'assit sur le bord de la baignoire et plongea ses pieds dans l'eau. La température du bain était beaucoup plus élevée que celle de l'air, mais il avait pourtant la chair de poule de la tête aux pieds. L'humidité gagna son caleçon de bain tandis qu'il se baissait lentement dans l'eau. Margot sortit le chronomètre.

— T'en es capable, l'encouragea-t-elle. Prêt ? Vas-y !

Alex prit une grande inspiration et s'enfonça dans l'eau.

Tandis qu'elle l'enveloppait, il entendit les battements de son cœur cogner contre son crâne, et le souvenir de son septième anniversaire lui revint soudain en mémoire. Il pataugeait au bord du lac Noé, à la recherche d'écrevisses, quand il avait perdu l'équilibre sur une roche couverte d'algues, tout près d'une dénivellation de terrain ; en un instant, il s'était retrouvé en eau profonde. Il s'était débattu, mais son pied s'était coincé entre des rochers enfouis au fond du lac.

Alex se souvenait de la peur panique qu'il avait éprouvée, alors que sa bouche et son nez s'étaient remplis d'eau.

Il ouvrit les yeux et regarda la surface. Où était Margot ? Il n'arrivait pas à la voir. L'eau lui comprimait les muscles, s'infiltrait dans ses oreilles, entre ses lèvres, dans ses narines. Ses poumons le brûlaient et tout son corps se contractait. La violence de l'immersion était telle que l'eau lui martelait les tempes ; il se sentait pris de vertige. Bientôt, il chercherait à reprendre sa respiration, mais savait qu'il ne trouverait pas d'air. Il avait perdu tous ses repères : il n'y avait plus ni haut, ni bas, seulement l'eau noire, plus profonde que l'océan, plus sombre qu'un tombeau.

L'eau allait le vaincre, envahir ses poumons, si vite qu'il ne pourrait rien faire, et lui infliger une pression capable de le faire exploser.

Terrorisé, impuissant, le jeune homme ouvrit la bouche et une goulée d'eau emplit sa gorge. Il eut un haut-le-cœur et se tordit de douleur, s'efforçant désespérément d'inspirer. Mais déjà, son corps se noyait, se gorgeait d'eau et périssait d'une mort horrible – un scénario que le jeune homme avait maintes fois imaginé. Paralysé par la peur, il sombra vers le fond de la baignoire.

Puis son corps remonta brusquement et éventra la surface de l'eau. Suffoquant, les yeux révulsés, il gesticulait comme un forcené.

— Alex !

Margot le tira hors de la baignoire et il retomba à genoux, en vomissant de l'eau et de la bile.

— Respire !

Recroquevillé sur lui-même, il cracha et toussa, parcouru de tremblements dus à la terreur plutôt qu'à l'air froid. Accroupie près de lui, Margot lui donna quelques petites tapes dans le dos.

— Est-ce que ça va ?

Faible et frissonnant, Alex ne répondit pas. Son amie l'enveloppa dans son peignoir et le fit rentrer dans la maison. Il s'assit lourdement sur l'une des chaises de la cuisine. Margot s'empressa d'aller chercher une couverture dans le séjour. À son retour, elle alluma l'interrupteur de la pièce, mais rien ne se produisit.

— Merde. Les plombs ont sauté pendant la tempête.

Elle posa la couverture sur les genoux du garçon.

— Alex, dis-moi quelque chose.

— J'en suis pas mort. N'empêche que je pourrai jamais devenir plongeur sous-marin, même si le conseiller d'orientation me proposait cette carrière...

Tandis que le jeune homme allait enfiler des vêtements secs, Margot parvint à dénicher une lampe de poche dans un tiroir de la cuisine. Quand il revint dans la pièce, son sac à dos en bandoulière, son visage avait déjà repris des couleurs.

— Au fait, j'ai réussi ?

Son amie évita de croiser son regard.

— Ça n'a aucune importance...

— Allez, dis-moi ! Même si je suis pas resté une minute complète. J'ai tenu combien de temps ? Cinquante-cinq secondes ? Cinquante ?

— Alex, je...

— Bon sang, Margot !

Il lui arracha le chronomètre des mains avant qu'elle puisse l'en empêcher. Le cadran indiquait : *0:19*.

— Dix-neuf secondes ? Pas plus ? s'écria-t-il. C'est lamentable !

— Tu t'es pas transformé en Vore. C'est déjà ça.

— Non, je suis toujours Alex la lavette.

— Et alors ? Ça ne fait rien. C'était qu'un jeu idiot.

— Il faut que j'y aille.

Margot, ne voulant pas ajouter à l'embarras de son ami, se contenta de lui dire :

— O.K. Tu m'appelles demain ?

— Bien sûr.

Il se dirigea à grandes enjambées vers la sortie. La porte claqua derrière lui.

Aussitôt, la jeune fille alluma la lampe de poche et se

rendit à l'étage. Il y faisait plus froid qu'au rez-de-chaussée. Quand elle passa devant la chambre de Henry, elle entendit les *Scouic, scouic, scouic* de la roue du hamster et sentit un courant d'air froid sortir de dessous la porte.

Elle l'ouvrit et s'approcha du lit de son frère. L'enfant dormait paisiblement.

Il doit être gelé, se dit-elle en le recouvrant d'une couverture trouvée au pied du lit.

Elle frissonna et parcourut la pièce du regard. Elle avait l'impression que quelqu'un d'autre s'y trouvait. Elle promena le faisceau de sa lampe de poche sur les petites voitures de course éparpillées sur le sol, puis sur les posters de surfeurs des neiges qui s'étalaient sur les murs. Kappi le koala, perché sur le coffre à jouets, fixait le vide de ses yeux impassibles. Sur la table de chevet, elle aperçut la photo prise à la fête foraine de Bottle Hill. Elle l'observa de près. Il s'agissait de la dernière image qui les montrait tous les quatre, avant le départ de leur mère. Elle songea qu'à présent, ils étaient seuls dans la maison : Henry, elle et Général Kwik.

Elle reposa le cliché et tourna le faisceau de la lampe vers la fenêtre. La vitre était fendillée. Des brisures dentelées s'y étaient répandues, pareilles à des toiles d'araignée.

— Tout se déglingue dans cette baraque, marmonna-t-elle.

Frissonnante, Margot jeta un dernier coup d'œil à son frère avant de regagner le couloir plongé dans la pénombre.

4

À Cutter's Wedge, la maison des Halloway ressemblait à beaucoup d'autres : une vieille bâtisse victorienne à deux étages, aux pignons effilés. De lourds volets repoussaient les vents violents qui soufflaient sur la Nouvelle-Angleterre. La cuisine en était le cœur : la seule pièce où les membres de la famille parvenaient à se voir plus de deux ou trois minutes d'affilée, malgré le chaos plus ou moins ordonné qui caractérisait leur vie quotidienne.

Mais depuis le jour où leur mère était partie sans un mot, sans même un au revoir, c'était dans la cuisine que son absence se faisait le plus cruellement sentir.

Margot posa une assiette devant son père, puis une autre devant une chaise vide, avant d'appeler son frère :

— Henry ! Le petit déjeuner est prêt !

Thom Halloway, dont les longs doigts pianotaient sur le rebord de la tasse de café, avait les yeux rivés sur un document de travail. La jeune fille avait toujours admiré les doigts robustes de son père, légèrement crochus à force d'avoir planté des milliers de clous dans du bois ou des murs de pierre. À l'époque où il avait construit la terrasse à l'arrière de la maison, Margot avait sept ans : il lui avait appris à manier le marteau et la scie. « Si tu veux quelque chose, fabrique-le », lui avait-il conseillé. C'était sa devise.

Non qu'il se sente particulièrement fier d'être autonome, mais selon lui, mieux valait avoir affaire avec le moins de gens possible. Et le fait que Thom Halloway, au départ simple menuisier, soit devenu entrepreneur de bâtiments, était une ironie du sort, et non des moindres. Ainsi qu'il le reconnaissait volontiers, cette situation était en contradiction avec ses principes.

— Henry ! Dépêche-toi, ça va refroidir !

Des pas résonnèrent sourdement dans l'escalier – suivis d'un bruit de chute.

— Henry ? appela son père. Est-ce que ça va ?

— Ouais.

Le petit garçon entra dans la cuisine en se massant le coude.

— J'ai trébuché, dit-il en s'asseyant. Il fait froid… On pourrait pas monter le chauffage ? demanda-t-il en se frottant les mains.

Margot jeta un coup d'œil à son frère. Il avait le teint terreux et des cernes blêmes sous les yeux.

— Tu vas bien, c'est sûr ?

— Mmm, acquiesça-t-il.

À la vue des jaunes d'œuf qui s'étalaient dans son assiette, l'enfant fronça les sourcils, et donna quelques petits coups de fourchette dans le plat.

— C'est quoi, cette chose ?

— Des œufs, répondit Margot.

— C'est tout… *baveux*.

— Tu m'as dit l'autre jour qu'ils étaient trop durs, j'ai donc…

— J'ai pas dit que je voulais un truc aussi dégueu, rétorqua Henry en repoussant son assiette. J'veux des céréales.

En se redressant, il se cogna contre la table et le café de son père éclaboussa le document qu'il étudiait. Thom se releva d'un bond.

— Merde ! hurla-t-il.

Il essuya son document avec ses mains tandis que Margot s'empressait d'aller chercher des serviettes en papier pour éponger le café.

— T'as dit une grossièreté. Maman nous interdit de dire des grossièretés, fit observer l'enfant.

La jeune fille interrompit sa tâche et regarda son petit frère. Celui-ci, le visage impassible, se contentait d'observer fixement la table en désordre. On ne lisait ni regret ni inquiétude dans ses yeux.

— Oui, Henry, répondit son père en rassemblant ses documents d'une main tremblante. Mais ta mère n'est plus là, à présent.

Son téléphone mobile se mit à sonner. La large main rugueuse de leur père appuya sur une touche minuscule et porta le petit appareil à son oreille.

— Halloway, oui ?

Il écouta un instant son interlocuteur avant de se mettre à râler.

— J'avais pourtant dit à l'équipe de ne pas installer les barres d'acier avant de... Merde !

— Encore une grossièreté, marmonna Henry.

— Ne touchez plus à rien avant mon arrivée... continua Thom. D'ici une demi-heure.

Il referma le téléphone et sortit en trombe de la cuisine.

— Papa ! Tu n'as encore rien mangé, lança Margot.

— J'achèterai quelque chose en chemin, répondit-il en enfilant son manteau et en se dirigeant vers la porte d'entrée. Je rentrerai tard. Ne m'attends pas.

Margot soupira et se rassit.

— Un petit déjeuner en famille qui se termine en beauté…

— J'ai pas fait exprès avec le café, dit Henry, qui se versait une généreuse portion de corn flakes enrobés de sucre.

Ne sachant contre quoi diriger sa colère, sa sœur dut prendre sur elle pour ne pas se fâcher.

— Ça n'a rien à voir avec le café ! Pourquoi t'es-tu senti obligé de reparler de maman ? Tu sais très bien dans quel état ça le met.

— Ouais, je sais. Pardon.

Il venait de s'excuser… cependant, sa voix était dure et n'exprimait visiblement aucun remords. Margot observa le visage de l'enfant. Il semblait parfaitement normal. Elle repoussa son assiette qui avait refroidi.

Henry ajouta une cuillère de sucre à ses céréales – pourtant *déjà* sucrées. Puis une deuxième, et encore une autre. Margot le regardait faire avec étonnement.

— Tu as envie de manger du sucre aux céréales, peut-être ?

— C'est comme ça que je les aime, répondit Henry, en se servant une dernière fois, se préparant à entamer le bol.

— Depuis quand ?

La cuillère du garçon s'arrêta avant qu'il l'enfourne dans sa bouche.

— Depuis *maintenant*.

Ils restèrent assis là sans plus se parler, et seul le bruit de mastication du garçon troublait le silence. Son visage était aussi blanc que le lait contenu dans son bol, et Margot s'aperçut qu'il frissonnait. Quand elle posa la main sur le front de son frère, elle eut l'impression de toucher une vitre de fenêtre un jour d'hiver.

Aussitôt, Henry eut un mouvement de recul.

— Me touche pas ! hurla-t-il en se levant d'un bond.

Il heurta la table et du lait éclaboussa la surface.

— Tu es glacial, lui dit sa sœur en se redressant. Ne bouge pas, je reviens.

Elle sortit de la cuisine. L'enfant porta la main à son front, fronça les sourcils, puis haussa les épaules en voyant sa sœur qui revenait avec un thermomètre.

— Ouvre la bouche.

Il se renfrogna, comme s'il n'acceptait pas de recevoir d'ordre.

— Non.

— Comment ça, non ? Tu veux que je te le mette autre part ?

Le petit garçon se rembrunit davantage, mais cette fois, il obéit. Margot glissa le thermomètre dans sa bouche et lui referma la mâchoire.

— N'ouvre surtout pas la bouche. Il faut attendre le bip.

Le signal ne se fit pas attendre : deux secondes plus tard, Margot retira le thermomètre.

— Vingt-trois degrés… ? Soit ce truc ne marche plus, soit tu es un extraterrestre ! s'exclama-t-elle d'un air soucieux.

Henry se leva et quitta la pièce en annonçant :

— Je monte dans ma chambre.

Pour Margot, la cabine de douche avait toujours été un sanctuaire. Dans cet espace clos, elle éprouvait les choses différemment. Les murs luisants qui l'entouraient. La vapeur qui estompait le contour des objets, ne laissant visibles que les carreaux et la cloison de verre. L'eau qui coulait si fort, l'isolant des bruits de l'extérieur. Et depuis peu, elle avait trouvé un nouvel usage à cette barrière sonore : cela lui permettait de laisser libre cours à sa tristesse et à sa colère, et de pleurer en repensant à sa mère, sans que personne ne l'entende.

La jeune fille sortit de la douche, essuya le miroir installé au-dessus du lavabo et fixa son reflet. Elle releva ses cheveux d'un côté, puis de l'autre, en se demandant quand les courbes de son corps mince, pour l'instant réduites au strict minimum, deviendraient des rondeurs que les autres remarqueraient enfin. Souvent, sa mère venait près d'elle et la rassurait : « Ne t'inquiète pas. Ma poitrine n'a pas changé avant mes 17 ans. » Quant à Alex, il disait de Margot qu'elle était « plate du haut » – et ce n'était pas à sa coiffure qu'il faisait allusion...

Néanmoins, elle possédait un atout : ses longs cheveux bouclés, hérités de sa mère. À l'époque où celle-ci vivait encore avec eux, Margot s'asseyait face au miroir une fois par semaine, cheveux lavés et mouillés, et sa mère lui coupait les pointes. Elles continuaient de discuter, même après avoir rangé la paire de ciseaux. Elles parlaient longuement de crèmes pour la peau, de maquillage ou de manucure, mais ces bavardages les menaient souvent vers des conversations plus sérieuses – les défis scolaires que Margot avait à relever, et les complexités que l'amour ou l'amitié pouvaient présenter.

Parmi ces discussions, il y en avait une que Margot ne parvenait pas à oublier, et qui avait eu lieu six mois avant le départ de sa mère.

Assise sur le couvercle des toilettes, sa mère se peignait les ongles de doigts de pied.

— Maman, est-ce que tu crois aux âmes sœurs ? lui avait demandé la jeune fille.

— Les âmes... sœurs ? Pourquoi me demandes-tu ça ?

— J'ai lu un article dans un magazine, l'autre jour, dans la salle d'attente du dentiste... « Comment trouver l'âme sœur », ou un truc de ce genre.

— Si je crois que certaines personnes sont « destinées » à être ensemble ? C'est bien ce que tu cherches à savoir ?

— Moui.

— Houlà, c'est une chose à laquelle je n'ai pas réfléchi depuis longtemps...

Elle avait esquissé son sourire habituel. Un sourire qui restait le même, qu'elle soit heureuse ou mélancolique. Aussi, Margot n'avait pu deviner ce que sa mère avait éprouvé à cet instant.

— J'imagine que oui, avait-elle poursuivi. Oui, j'y crois encore, c'est fort possible.

La jeune fille n'avait pas oublié cet « encore ».

— Malgré tout, il y a des milliards de gens sur terre. Par conséquent, si tu n'as pas la chance de le rencontrer tout de suite, tu n'as pas vraiment le choix : soit tu te prépares à passer une bonne partie de ta vie à le chercher, soit tu te rabats sur quelqu'un d'autre, qui ne sera pas vraiment l'âme sœur.

Margot n'avait pas oublié ces mots non plus.

— J'imagine que le premier choix demande pas mal de courage.

Sa mère s'était contentée de la fixer un instant, avant de s'occuper de nouveau de ses ongles.

Depuis quelque temps, Margot se demandait si cette

conversation n'avait pas incité sa mère à faire face à des sentiments qu'elle avait enfouis. La jeune fille ne savait toujours pas si elle croyait à cette histoire d'âme sœur, mais à supposer que ce soit vrai, elle espérait que sa mère ne trouverait jamais la sienne.

Elle passa son peignoir et serra fermement la ceinture. C'étaient les vacances scolaires, mais elle devait se préparer pour aller travailler. Alors qu'elle se dirigeait vers sa chambre, elle entendit une voix derrière la porte close de Henry. Bizarre… d'habitude, il ne la fermait jamais. Elle colla une oreille contre le panneau de bois et comprit que son frère parlait à quelqu'un.

— Et ça ? Ça t'a fait mal ?

Margot tourna lentement la poignée et entrebâilla la porte.

L'enfant était assis sur son lit, de dos.

— Qu'est-ce que tu fabriques, Henry ?

Il se raidit, puis se tourna vers elle.

Margot, le souffle coupé, vit ce qu'il avait entre les mains. Kappi, le koala en peluche qu'il aimait tant. Sa fourrure, dont de larges pans avaient été arrachés, était en lambeaux. On aurait dit qu'il avait subi des tortures.

— *Henry*… qu'est-ce que tu fais ?

Le petit garçon sourit.

— Je voulais voir à quoi il ressemblait sans poils. Tout nu… tu comprends ?

— Mais… c'est ta peluche préférée.

— Ça lui fait pas mal, tu sais, répondit-il en arrachant une touffe de fourrure.

Margot tressaillit.

— Pourquoi tu lui…

— Parce qu'il est *à moi*.

Elle venait de percevoir de nouveau la voix qu'elle avait entendue derrière la porte. Rauque et basse. Rien à voir avec celle d'un enfant de huit ans.

— Bien sûr qu'il est à toi, dit-elle en s'asseyant sur le lit à côté de Henry. Mais ça ne veut pas dire que…

Elle essaya de poser une main sur le front de son frère, mais celui-ci la repoussa.

— Je vais très bien.

Margot acquiesça et prit la peluche mutilée.

— Tu te souviens ? Maman et toi, vous l'aviez gagnée à la fête foraine.

— Oui, je m'en souviens.

— Est-ce que c'est pour ça que tu cherches à… abîmer Kappi ? Parce qu'elle te rappelle maman ?

— Qu'est-ce que tu veux que ça me fasse ? De toute façon, maman ne reviendra jamais.

La franchise de l'enfant étonna Margot.

— Mais si, Henry, elle reviendra. Et puis, c'est normal que tu lui en veuilles ; en fait, moi aussi je suis en colère. Pourtant, elle nous aime. Elle t'aime. Elle a besoin de temps, c'est tout.

— T'as le droit d'imaginer ce que tu veux, rétorqua-t-il en levant les yeux vers elle. Moi, je sais que c'est un mensonge.

La jeune fille n'en croyait pas ses oreilles. Cela faisait des mois que leur mère ne leur avait pas envoyé un seul e-mail. Sans parler du temps qui s'était écoulé depuis son dernier coup de téléphone. Margot et son père espéraient encore son retour. En revanche, Henry…

— Tu vas bien, tu en es sûr ? demanda-t-elle en rendant la peluche à son frère.

Il se contenta d'acquiescer. Pourtant il frissonnait toujours, malgré son pyjama de flanelle, son peignoir et une couverture posée sur ses épaules.

— Il faut que j'y aille, sinon je vais être en retard. Madame Boswell sera ici dans quelques minutes, dès qu'elle sera rentrée de l'église. Mais je devrais peut-être appeler Eben et lui dire que je ne peux pas venir aujourd'hui...

— Purée, Margot ! Je vais très bien !

— D'accord, compris. Mais tu dois rester au chaud et ne pas aller te mouiller dans la neige. Je vais laisser un mot à madame Boswell pour qu'elle te fasse de la soupe. Je sais qu'elle est parfois un peu grognon, mais c'est la seule baby-sitter qu'on a pu...

— Je ne suis plus un bébé.

— Je sais. Des fois, j'ai même l'impression que tu es plus âgé que moi...

Margot lui donna un baiser sur la joue. La peau de l'enfant était toujours aussi froide.

— Ferme la porte derrière toi, d'accord ?

Margot fit ce qu'il lui demandait. Dès qu'elle se retrouva dans le couloir, elle entendit de nouveau Henry. Il chuchotait.

5

Malgré la superficie peu étendue de Cutter's Wedge, ses habitants y trouvaient tout ce dont ils avaient besoin, surtout s'ils aimaient lire. La ville comptait une bibliothèque bien approvisionnée et quatre librairies, dont celle que Margot préférait, *L'Épouvante*. Eben Bloch l'avait ouverte deux ans plus tôt, à son arrivée à Cutter's Wedge.

Au cours de l'année qui avait précédé le départ de sa mère, alors que les relations étaient tendues, voire explosives, entre ses parents, l'endroit était devenu un abri sûr pour la jeune fille. Le comportement de sa mère se faisait de plus en plus étrange et dissimulateur, et son père, soupçonneux, s'irritait facilement. Un soir que ce dernier avait voulu savoir pourquoi son épouse avait ajouté un mot de passe à son ordinateur portable, la situation avait dégénéré. Margot, qui ne pouvait plus en supporter davantage, était partie se réfugier à la librairie.

Parmi les étagères poussiéreuses, elle avait repéré un exemplaire passablement écorné d'un classique d'Edgar Gordon[1], *Les Créatures nocturnes*[2], qu'elle avait acquis pour

1. Edgar Gordon est un personnage fictif, croisé dans une nouvelle de Robert Bloch (l'auteur de *Psychose*), intitulée « The Dark Demon ». Dans cette histoire, Gordon est un écrivain raté qui disparaît dans de mystérieuses circonstances.
2. Littéralement, les *Nightgaunts*, créatures inventées par H. P. Lovecraft.

dix dollars. Tout était bon quand il s'agissait de chasser de son esprit les querelles parentales. L'homme aux cheveux argentés qui se trouvait derrière le comptoir avait jeté un regard affectueux sur l'ouvrage.

— Excellent choix. Tu aimes la littérature fantastique ?

Depuis, elle travaillait dans la boutique les mercredis et les jeudis, deux heures le soir, et les samedis de dix heures à dix-sept heures.

Par le passé, la librairie avait été une taverne qui comportait un haut plafond d'aluminium et quelques appartements dans les étages. Son ancien propriétaire, un homme jovial, devait sa renommée autant à son épouse qui l'avait abandonné qu'à ses whisky sour. Des années après le départ de sa femme, un de ses locataires, remarquant qu'une plaque de plâtre se détachait dans la salle de bains, se chargea lui-même de la réparation ; c'est ainsi qu'il découvrit que la fameuse épouse n'avait jamais quitté les lieux. On l'avait soigneusement enveloppée, des chevilles à la bouche, dans du ruban adhésif, et son corps, pendu à un crochet de boucherie, avait été dissimulé derrière un des murs de la douche. Eben jurait que, certaines nuits, il entendait son fantôme qui se lamentait.

Cette anecdote seyait parfaitement à la librairie. Eben proposait un vaste choix de classiques et de best-sellers, mais *L'Épouvante* se consacrait avant tout à la littérature gothique, au macabre et à… l'épouvante. Des piles inclinées de livres jonchaient le sol ; il n'y avait aucun ordre précis de classement sur les étagères, mais le libraire connaissait la place de chaque ouvrage. Les lumières qu'il avait fait poser au plafond projetaient des ombres grises d'un bout à l'autre du magasin, si bien que l'endroit offrait des dizaines de recoins discrets et faiblement éclairés, même les jours de grand soleil, où on pouvait s'installer pour lire.

Quand Margot entra, Eben, perché sur un tabouret, était en train d'empiler des livres sur une étagère. Comme à l'accoutumée, il portait un costume ; une drôle d'habitude, étant donné que certains jours, pas un seul client ne pénétrait dans la boutique – mais la plupart des ventes du libraire se faisaient par le biais de son site Internet. Margot ne l'avait jamais vu sans une pochette, encore moins vêtu d'un jean. Il portait de petites lunettes cerclées de métal qui, selon lui, lui donnaient parfois des maux de tête.

— Tu es en retard, lança-t-il sans se retourner.

— Et toi, tu es vieux, répliqua-t-elle, tout en déposant ses affaires derrière le comptoir.

Eben eut un grand sourire.

— Et tu es encore loin de la vérité, Margot !

Son élocution était méticuleuse, mais jamais il ne se montrait guindé. Son accent, mélodieux sur certains mots, rauque sur d'autres, semblait impossible à définir. Eben prétendait avoir connu tant de lieux différents qu'il ne pouvait les nommer tous – et d'après lui, aucun de ces endroits n'avait de réel intérêt.

Il descendit du tabouret en laissant échapper, comme à son habitude, un grognement, s'empara de sa canne à pointe d'acier et la rejoignit en boitant. Margot ne savait pas dans quelles circonstances il avait été blessé ; certainement à la guerre, car il avait été soldat, mais n'en parlait jamais. Il leva sa canne et lui indiqua un présentoir de livres en cours de réalisation.

— Tu étais censée terminer ça hier. Occupe-t'en, s'il te plaît.

— Oui, m'sieur, tout de suite. Faudrait pas décevoir les

clients qui vont venir faire leurs achats de Noël à la dernière minute…

Eben baissa ses lunettes sur son nez, signe que sa patience avait des limites. Elle s'en rendit aussitôt compte et se mit à construire un édifice de livres avec des exemplaires du dernier roman de Stephen King, tandis que le libraire s'installait sur une chaise de cuir.

— Fais ton choix : Poe ou Lovecraft[1] ?

— Mmm… Poe, répondit Margot en souriant.

Leur petit rituel avait commencé.

Eben réfléchit un instant.

— « Le Masque de la Mort Rouge ». Première ligne. Je vous écoute, mademoiselle Halloway.

— O.K., acquiesça-t-elle en fermant les paupières. « *La Mort Rouge avait pendant longtemps dépeuplé la contrée. Jamais peste ne fut si fatale, si horrible. Son avatar, c'était le sang, la rougeur et hideur du sang*[2]. »

Elle rouvrit les yeux. Eben souriait.

— Presque parfait. Tu as oublié le « la » devant « hideur », mais je t'accorde le point.

Margot recommença à placer les livres en équilibre les uns par-dessus les autres.

— À moi. Poe ou Lovecraft ?

— Lovecraft, répondit le vieil homme.

— D'accord. « Les Rats dans les murs ». Dernière phrase.

— Un choix intéressant, répondit Eben en inclinant la tête d'un air pensif. « *Qu'on le sache bien ; ce sont les rats ; les*

---

1. Écrivain américain (1890-1937), un des maîtres de la littérature fantastique et d'épouvante du XXe siècle.

2. « The Masque of the Red Death », nouvelle d'Edgar Alan Poe (1842), traduction de Charles Baudelaire.

rats rampants et trottinant dont les galopades ne me laisseront plus jamais dormir ; les rats démoniaques qui courent derrière le capitonnage des murs et veulent m'entraîner en bas vers des horreurs plus monstrueuses que je n'en ai encore connu ; les rats que les autres n'entendent jamais ; les rats, les rats dans les murs[1] », récita-t-il d'un ton calme.

— Je crois que c'est tout juste, dit la jeune fille.

Elle plaça un autre livre dans un angle. Sa construction s'effondra. Elle soupira.

— La journée a déjà mal commencé... et ça continue, soupira-t-elle.

— Que t'arrive-t-il ?

— En fait, Henry est malade, et il se comporte bizarrement.

— Comment ça, bizarrement ?

— Il a arraché la fourrure de sa peluche préférée. Il dit qu'il voulait voir à quoi elle ressemblait toute nue. J'ai des raisons de m'inquiéter, non ?

— Ton père est-il au courant ?

— Il n'était pas à la maison quand c'est arrivé.

— Tu devrais lui en parler.

— Pourquoi ? Il ne fera rien pour arranger les choses. Pour lui, tout va bien, vu qu'il ne se rend compte de rien.

Margot s'assit sur un tabouret, face à Eben.

— Ton père t'aime, tu sais. Il a du mal à se faire à ce grand changement, mais il apprend. Laisse-lui une chance.

— Parce que moi, je m'y fais, peut-être ? Je viens juste d'entrer au lycée ! Et par-dessus le marché, je dois jouer à la mère de famille !

— La vie nous impose parfois des défis imprévus. Tu

---

1. « The Rats in the Walls », nouvelle de H. P. Lovecraft (1923). Traduction de Jacques Papy, Simone Lamblin et Isabelle Emin (Denoël, 1956).

fais du mieux que tu peux. Tout va bien se passer pour Henry.

— Henry n'a plus sa mère près de lui.

— Mais il t'a, toi.

Margot esquissa un sourire. Elle aimait beaucoup discuter avec Eben. Il n'embellissait pas la réalité, il ne cherchait pas à trouver des excuses aux gens, et il ne la traitait pas comme une gamine. Il était tout ce que son père n'était pas.

— Et je t'ai, toi, ajouta-t-elle.

— Oui, je suis là, répondit-il en souriant. Je suis toujours là. Ma pauvre petite.

La sonnette de la porte d'entrée retentit. Alex entra dans la boutique, coiffé de son casque colonial.

— Mon livre est arrivé, Eben ?

— Oui, le voilà, mon garçon, dit le libraire en sortant un paquet de derrière le comptoir.

Alex s'empressa de déchirer l'emballage de papier kraft.

— Qu'est-ce que c'est ? demanda Margot.

— *Meurtre, massacre et folie. Histoire des tueurs en série.*

La jeune fille leva les yeux au ciel.

— Non ! Encore un truc sur les tueurs en série ?

— C'est un bouquin génial, Margot, rétorqua son ami en feuilletant l'ouvrage. Prends par exemple Richard Chase, surnommé le « Vampire de Sacramento ». Il mettait le cerveau et le sang de ses victimes dans un mixeur, et puis il les buvait. Il était persuadé que son sang se transformait en poudre et qu'il avait besoin de sang frais pour le remplacer.

— Merci pour tous ces charmants détails, dit Margot en faisant la grimace.

— Tu aimes les histoires d'horreur quand elles restent

purement imaginaires. Moi, je préfère me confronter à la réalité.

— Dans ce cas, ce qui s'est déroulé hier soir était imaginaire ou réel ?

— Que s'est-il passé, hier soir ? s'enquit Eben.

Alex afficha un grand sourire.

— Nous avons fait face à nos peurs et...

Il s'aperçut que Margot lui lançait des regards, comme pour l'avertir de renoncer, et il s'interrompit.

— Vos peurs... ?

— Non, c'était rien, une sorte de jeu stupide, répondit la jeune fille. Vous savez... des trucs de zarbis.

Eben leva les yeux vers elle.

— Ne te lance jamais dans la politique, Margot. Tu serais incapable de mentir... Même s'il s'agissait de sauver ta peau, tu n'y parviendrais pas ! Qu'avez-vous fait hier soir, tous les deux ?

Elle connaissait bien ce ton. On pouvait confier tout ce qu'on voulait à Eben, sans craindre d'être jugé. En revanche, il ne supportait pas le mensonge.

— Euh... on a passé une sorte de test, histoire de se confronter à nos peurs. Un rituel, en fait.

— Et j'ai échoué, ajouta Alex. Je ne suis pas le candidat le plus doué qui soit... Mais Margot l'a emporté haut la main !

— Un rituel ? De quel genre ? demanda le vieux libraire.

La jeune fille soupira, sortit le journal de son sac à dos et le tendit à Eben. Il chaussa ses lunettes, ouvrit le livre et lut le premier paragraphe à haute voix.

— « *Les Vores sont partout présentes autour de nous. Elles portent nos noms, affichent nos visages. Ne croyez pas ceux qui prétendent qu'il n'y aurait aucune raison d'avoir peur, car en vérité, il y a beaucoup à craindre.* »

Il regarda tour à tour les deux jeunes gens.

— Où avez-vous trouvé cela ?

— C'est arrivé dans une des caisses qu'on vous a livrées, répondit Margot en s'efforçant d'adopter un ton nonchalant, il y a quelques semaines de cela. Aucune idée de l'auteur.

Eben feuilletait l'ouvrage, parcourant en diagonale les pages couvertes de l'écriture en pattes de mouche. Il s'arrêtait ici ou là pour examiner un croquis ou un diagramme.

— Cela ne me dérange pas que tu empruntes des livres, mais je préfère que tu me le dises quand c'est le cas. Sans compter que j'aimerais au moins pouvoir les consulter avant... Il s'agit là d'une trouvaille bien inhabituelle, Margot.

— C'est seulement le journal d'une vieille cinglée, Eben. Elle n'arrête pas de parler de ces monstres, les Vores, qui s'en prennent aux êtres humains quand ils éprouvent une intense frayeur. Une peur qui empêche de parler, de respirer ou même de battre des paupières... du genre paralysante. Ces créatures investissent votre corps, envoient votre esprit dans un monde démoniaque et puis vivent votre vie à votre place. Impossible de dire qui est une Vore et qui ne l'est pas, vu qu'elles se comportent comme des humains et prennent leur apparence. Une lecture plutôt marrante, en fait...

— Et plus réussie que la plupart des thrillers à deux balles qui sont publiés ces temps-ci, ajouta Alex.

Eben s'arrêta sur une autre page.

— « *La nuit du solstice d'hiver, fuyez vos peurs. Cachez-les. Je sais tout. Je les ai vues. Elles prennent votre âme.* »

Il releva les yeux, l'air soucieux.

— Le solstice d'hiver... c'était hier, ça. Et vous avez encouragé ces créatures à venir vous posséder ?

— Eben, répondit Margot, on s'est seulement amusés un peu.

— Je n'approuve pas ce genre d'activité. Jouer aux cowboys et aux Indiens, ça c'est un jeu.

— Ne va pas dire ça aux Amérindiens !

— Rassurez-vous, Eben, ajouta Alex. Rien de tout ça n'est réel.

Le vieil homme referma le livre.

— Écoutez-moi bien, tous les deux. Personne n'apprécie plus que moi un conte fantastique à glacer le sang, dit-il en agitant la main autour de lui. C'est toute ma vie ! En revanche, cette *chose* n'a rien à voir... ajouta-t-il en donnant de petits coups sur le livre journal. C'est de la démence. De la magie noire, qui implique des chants, des rituels, des secrets... un vrai *culte*.

— Oui, mais tout ça, c'est votre subsistance ! riposta Margot.

— En effet, mais je vends de la fiction. Vous ne savez rien de ce livre, ni même d'où il vient.

— Nous savons très bien qu'il n'y a rien de vrai dedans.

— Mais si vous ritualisez la chose, tout ce qui est raconté là-dedans devient réel. Et c'est là que cela devient dangereux. Quant à l'auteur de ce journal, vous êtes-vous seulement demandé ce qui lui était arrivé ?

— C'est qu'un livre... répondit-elle.

— Qui ne t'appartient pas.

— Désolée, Eben. Je le ferai plus. Mais rien de tout ça n'est vrai, ce n'est pas comme si on y croyait !

— Si tu n'y croyais pas un minimum, jamais tu n'aurais défié ces créatures. Dès l'instant où tu te mets à croire à quelque chose, celle-ci prend l'ascendant sur toi…

La sonnette tinta et deux lycéennes gothiques, toutes vêtues de noir, se glissèrent dans la boutique.

— Des clientes, Margot. Allez, va refaire le présentoir. Je sens que les vacances scolaires vont nous amener une foule d'acheteurs…

Un peu après cinq heures, Margot salua Eben de la main et prit le chemin du retour. La nuit tombait déjà. Les lumières rouges et vertes des guirlandes de Noël accrochées entre les lampadaires se reflétaient sur la neige. Comme chaque année, des gnomes souriants, aux joues roses, trinquaient dans la vitrine de *Cutter's Wedge Wines*, le caviste de la ville. Devant la quincaillerie Safko, elle croisa l'habituel bonhomme de neige grassouillet en polystyrène, campé sur le trottoir, une pelle à la main. En guise d'yeux, M. Safko avait utilisé des billes de verre, et non du charbon ou des boutons, et l'effet obtenu était plus perturbant que festif : ses yeux écarquillés et suppliants, trop réalistes, semblaient appeler à l'aide. Ils donnaient l'impression qu'un être humain, dont la bouche scellée était incapable de hurler, était enfermé à l'intérieur du bonhomme de neige.

Arrivée sous le lampadaire auquel son vélo était attaché, Margot s'accroupit afin d'ouvrir le cadenas. La réaction d'Eben, quand elle lui avait avoué avoir pris *Les Démoniaques*, la taraudait ; de même, le comportement du libraire, quand il avait appris ce qu'Alex et elle avaient fait la veille au soir, la troublait plus encore. Il était fort possible que l'auteur du journal ait été fou à lier, comme en témoignaient les horribles dessins de créatures enveloppées de fumée, les gens aux yeux arrachés et les symboles incompréhensibles qui accompagnaient le texte. Mais la folie, du moins à sa connaissance, n'était pas une maladie contagieuse.

Un sifflement aigu la fit sursauter. Elle leva la tête. De l'autre côté de la rue, de la vapeur s'élevait d'une bouche d'égout. Soudain, une rafale de vent fit tourbillonner la brume et, un court instant, la jeune fille aperçut deux silhouettes. Une grande et une petite, blotties l'une contre l'autre, en pleine discussion.

Margot sentit son cœur s'emballer. Elle plissa les yeux, mais le vent retomba et les volutes de vapeur se replièrent sur elles-mêmes, formant de nouveau un épais rideau qui dissimulait la bouche d'égout. Pourtant, elle était certaine d'avoir reconnu la plus petite des deux personnes.

La jeune fille se redressa, traversa la rue et se dirigea vers elles, quand, tout à coup, une lumière blanche perça l'obscurité. La jeune fille leva un bras au-dessus de ses yeux afin de ne pas être éblouie et se trouva face aux phares d'un camion qui arrivait droit sur elle. Elle se figea un instant, vit le visage du chauffeur, entendit son coup de klaxon énervé et le crissement des freins. Elle s'écarta d'un bond, de justesse, tandis que le véhicule passait devant elle à toute allure. Le vacarme avait alerté les deux silhouettes, qui s'étaient retournées.

— Henry ! appela Margot en courant vers lui. Qu'est-ce que tu fabriques ici ?

— Eh ben… je venais te voir, répondit l'enfant avec un haussement d'épaules. Madame Boswell s'est endormie.

— Tu sais ce que papa ferait s'il apprenait que tu es sorti tout seul ? Il fait nuit !

— C'est ce que j'étais en train de lui expliquer, dit Henry en indiquant celui qui l'accompagnait.

Margot reconnut aussitôt son odeur, si agréable.

— C'est ton petit frère ? demanda Quinn en souriant, avant de faire une bulle de chewing-gum.

— Plus pour longtemps, vu qu'il va se faire tuer en rentrant…

— J'étais en train de lui faire la morale, du genre : « On ne traîne pas dans les rues tout seul à ton âge… » Bon sang, on croirait entendre ma mère !

— Je connais ça, répondit Margot.

— Il faisait jour quand je suis parti ! protesta Henry.

— Et toi, qu'est-ce qui t'amène dans ces rues malfamées après le coucher du soleil ? s'enquit la jeune fille, un peu nerveuse.

Il prit le sac à dos qu'il portait à l'épaule.

— Amusant, que tu me demandes… Tu travailles dans cette librairie, c'est bien ça ?

— Moui, se contenta de répondre Margot, de nouveau incapable de s'exprimer normalement.

— J'ai quelque chose pour toi.

Il sortit un livre de son sac et le lui tendit, l'air penaud – si tant est que Quinn puisse paraître penaud.

— Histoire de te remercier, pour m'avoir tiré d'affaire l'autre jour. Sans toi, le cours de littérature se serait mal passé…

Margot jeta un coup d'œil à la couverture ; il s'agissait d'une belle édition reliée en cuir du roman de Bram Stoker, *Dracula*.

— Je n'ai pas osé te l'avouer… poursuivit le jeune homme, mais je suis un mordu de littérature fantastique. Aussi zarbi que toi, en fait.

Margot rougit.

— Je ne sais pas comment te remercier…

— Dis-moi simplement qu'on fera un truc ensemble, un de ces jours, d'accord ?

— Bien sûr, répondit-elle, rayonnante.

Henry regarda tour à tour Quinn et sa sœur puis leva les yeux au ciel.

— On peut y aller, maintenant ?

— Plus de balades dans le noir, O.K. ? lui dit Quinn. Tu pourrais faire de mauvaises rencontres, dans le coin. Pire que des vampires.

Il fit un clin d'œil à Margot et s'éloigna.

La jeune fille, stupéfaite, eut besoin de quelques secondes pour se ressaisir. Puis elle se tourna vers son frère.

— T'étais censé rester à la maison. T'as oublié que t'étais malade ?

— Je me sens mieux.

— De quoi d'autre avez-vous parlé, Quinn et toi ?

— Pas de toi, si c'est ce que tu cherches à savoir.

— Mais non, pas du tout. Allez, on rentre.

Henry avança en silence à ses côtés, tandis qu'elle marchait sur le bord du trottoir en poussant son vélo sur la chaussée. Elle était irritée à l'idée de ne plus pouvoir compter sur Mme Boswell pour garder son frère, mais aussi parce que ce dernier était sorti en cachette alors qu'il n'en avait pas le droit. Surtout, elle n'avait aucune envie de jouer à la « maman ». Elle ne voulait plus avoir à préparer le repas, à trier le linge sale ou à passer l'aspirateur. Elle ne voulait pas non plus avoir à s'occuper de Henry – devoir prendre sa température, s'inquiéter pour lui, le gronder. Elle voulait que sa mère arrête de se comporter en sale égoïste. Qu'elle rentre à la maison.

Quand ils arrivèrent à destination, le camion de leur père n'était pas encore là. Une chance, pour l'un comme pour l'autre. Sans un mot, Henry grimpa les escaliers et alla s'enfermer dans sa chambre, sans que Margot ait eu le temps de lui dire quoi que ce soit. Elle se débarrassa de ses baskets trempées et entra en trombe dans le séjour.

— Madame Boswell !

Celle-ci était affalée sur le canapé. Margot ne voyait que sa tignasse argentée. Le lecteur de DVD marchait en boucle, répétant inlassablement le même clip musical de quarante-cinq secondes. Une tasse de thé, qui visiblement n'avait pas été bue, était posée devant elle, sur la table basse.

— Madame Boswell ?

Margot s'approcha, tendit la main et secoua gentiment l'épaule de la vieille dame. Sa tête retomba sur le côté. Ses cheveux glissèrent de son visage, et ses yeux vides se braquèrent sur ceux de la jeune fille.

Un rictus de terreur déformait sa bouche.

Elle était morte.

6

Le père de Margot arriva chez lui au moment où l'on emportait Mme Boswell sur une civière.

L'ambulance s'éloigna sans même allumer ses gyrophares et sa sirène. L'officier de police avait constaté que la vieille dame était morte sur place, probablement d'une crise cardiaque. Henry avait regardé les ambulanciers partir puis était allé s'enfermer dans sa chambre.

Une fois que les choses se furent calmées, Thom Halloway se servit un verre de whisky, s'assit devant la table de cuisine et, les yeux dirigés vers la fenêtre, contempla fixement la nuit hivernale.

Margot, sur le seuil de la pièce, l'observait.

— Papa ?

— Oui, ma chérie ?

— Qu'est-ce qu'on va dire à Henry ?

— Je n'en sais rien, répondit-il avant de marquer une pause. Qu'elle était âgée. Que tout le monde meurt un jour. Il n'a que huit ans, mais je suis certain qu'il a déjà conscience de tout ça.

— Ouais, je vois, lança-t-elle d'un ton fâché. Je ne sais pas ce que je ferais sans toi, papa.

Elle tourna vivement les talons et laissa son père seul, en compagnie de sa boisson. La pâle lueur que renvoyait le malheureux petit sapin de Noël ne suffisait pas à éclairer le séjour, plongé dans la pénombre. Son père l'avait rapporté la semaine précédente. Ils étaient allés chercher la boîte de décorations en riant et Thom Halloway l'avait déballée en braillant des chants de Noël d'une voix tonitruante. Margot avait pensé qu'il en faisait un peu trop, mais elle ne pouvait lui en vouloir. Henry s'était amusé à courir autour de l'arbre tout en y enroulant des guirlandes, et tous les trois avaient passé la soirée à accrocher des boules brillantes, des angelots et des cheveux d'ange dans le sapin, comme si en recouvrant les branches de l'arbre, ils dissimulaient le trou béant que le départ de leur mère avait laissé dans leur existence.

À présent, dans l'ombre multicolore des lumières du sapin, Margot repensait à sa mère. Elle l'imagina en train de décorer l'arbre de Noël de quelqu'un d'autre. Était-elle heureuse ? Sa famille lui manquait-elle ? La jeune fille alla jusqu'à se demander si elle était encore en vie. Peut-être était-elle morte, finalement. Comme Mme Boswell. Morte et enterrée.

La tasse de thé froid de la vieille femme était restée sur la table basse. Margot la fixa un long moment, puis elle la ramassa, alla jeter le thé dans l'évier et la mit dans le lave-vaisselle. Enfin, elle monta dans sa chambre.

Toutefois, elle ne parvint pas à s'endormir.

Chaque fois qu'elle fermait les yeux, le visage de la morte s'élevait dans l'obscurité, et les pensées se bousculaient dans son esprit. Pourquoi Henry se comportait-il si bizarrement ? Que faisait-il tout seul dans la rue ? Sur le chemin du retour, elle avait essayé de lui tirer les vers du nez, mais le petit garçon s'était contenté de donner un coup de pied dans un bâton qui traînait sur le trottoir et avait refusé de répondre. Margot avait continué d'avancer d'un pas ferme, partagée entre la colère et le soulagement, remerciant le ciel que Quinn ait croisé son frère.

Elle sourit.

Quinn.

Un garçon qu'elle n'aurait jamais cru possible de connaître un jour. Jamais Margot Halloway n'avait les mains moites – et la première fois qu'elle avait vu *Psychose*[1], elle n'avait pas eu peur. Seul Quinn lui faisait un tel effet. Était-il vraiment intéressé par elle ? Elle croyait avoir affaire à un sportif vantard, mais ce n'était pas le cas. En réalité, il se montrait intelligent, gentil et, pour couronner le tout, lui aussi était un fan d'épouvante. Dans quel univers parallèle venait-elle d'entrer ?

La jeune fille se retourna, donna un bon coup de poing dans son oreiller et, prise de vertiges, s'efforça d'y caler plus confortablement sa tête.

Henry.

Il ne savait plus où il en était. Profondément perturbé, il bataillait avec ses propres démons et Margot se sentait impuissante. Comment lui venir en aide ? Elle songea que les atrocités qu'elle avait vues dans les films ou lues dans les livres n'étaient rien en comparaison de la réalité. L'horreur s'était infiltrée dans son existence et personne, sauf elle, ne semblait s'en rendre compte.

Son père continuait de se comporter comme si son épouse était simplement partie quelques mois en voyage d'affaires. Croyait-il qu'elle allait revenir d'un jour à l'autre, bronzée, fatiguée, mais heureuse d'être de nouveau chez elle, les

---

1. Célèbre film d'Alfred Hitchcock (1960), d'après une nouvelle de Robert Bloch.

bras chargés de tee-shirts ringards et de boules à neige, les yeux remplis d'amour pour lui et leurs enfants… ?

Sans s'en rendre compte, Margot avait repoussé ses couvertures, s'était rassise et avait remonté ses genoux contre sa poitrine. Elle entendait quelque chose… de la musique… et des voix…

« Tu ferais mieux d'être prudent, je vais te dire pourquoi… »

Elle jeta un coup d'œil à son réveil. Les chiffres digitaux rougeoyaient dans l'obscurité, indiquant 00:41. Soit des petits chanteurs de Noël avaient décidé de faire une tournée nocturne, soit son père ne dormait toujours pas et, son verre de whisky à la main, il écoutait le stupide album de chants de Noël que sa mère aimait tant.

« Tu ferais mieux de ne pas bouder, je vais te dire pourquoi… »

Margot sortit de son lit. L'air froid qui l'enveloppa aussitôt la fit frissonner. Elle attrapa sa robe de chambre et se rendit dans le couloir.

« Santa Claus arrive en ville… »

Sous ses pieds nus, les marches en bois étaient aussi glaciales que du marbre. Arrivée au rez-de-chaussée, elle s'aperçut qu'il y faisait plus froid que d'habitude.

« Il prépare sa liste, il la vérifie deux fois… »

Les voix venaient du jardin qui donnait sur la rue.

« Il saura qui a été sage ou méchant… »

Elle serra sa robe de chambre autour d'elle et entra dans le séjour. À l'exception des lumières clignotantes du sapin, la pièce était plongée dans la pénombre. Son père se tenait devant la large fenêtre. Henry était dans ses bras.

— Papa ? Qu'est-ce qui se passe ?

Margot le rejoignit. Dehors, cinq enfants chantaient, leurs visages dissimulés derrière leurs livres de chant. De petites bouffées d'air blanc s'élevaient au-dessus d'eux et serpentaient dans l'obscurité. Une neige légère tombait, s'accrochant à leurs manteaux, à leurs bonnets et à leurs écharpes – des flocons qui scintillaient à la lueur de la lampe éclairant la véranda, pareils à de la poussière magique. Henry bâilla.

« Santa Claus arrive en ville... »

Margot réprima un frisson et se rapprocha de son père.

— Il est presque une heure du matin. Qu'est-ce que vous faites encore debout ?

« Nous te voyons quand tu dors... »

Elle chercha à attraper la main de son père.

« Quand tu es éveillé, nous le savons... »

— Papa, se plaignit Henry, je les aime pas...

— Je savais qu'ils viendraient, avoua Thom Halloway en baissant la tête. Je suis vraiment désolée, Margot...

Les voix des petits chanteurs se firent soudain grinçantes.

« Nous savons si tu as été sage ou méchant... »

Ils baissèrent leurs livres.

C'étaient bien des enfants. Pourtant, ils n'avaient rien d'humain. Des veines verdâtres sillonnaient leur peau blafarde et leurs yeux injectés de sang, enfoncés dans leurs orbites, les scrutaient tous les trois. Henry enfouit son visage dans le cou de son père.

Le plus petit d'entre eux s'avança d'un pas et leur sourit. Ses crocs brillèrent, semblables à des dagues.

« Nous sommes avec toi, siffla-t-il. Nous serons toujours près de toi... »

— Papa ! gémit Margot.

Les démons poussèrent un cri strident et se précipitèrent contre la fenêtre ; leurs serres tendues vers l'avant, ils brisèrent la vitre. Margot fut projetée vers l'arrière et heurta le sapin de Noël. L'arbre bascula, entraînant dans sa chute les décorations, qui se brisèrent en milliers d'éclats étincelants. Les bris entaillèrent sa peau, et du sang se mit à couler de dizaines de petites blessures infligées à ses bras, à son cou et à ses joues.

Les créatures se jetèrent sur Henry et l'arrachèrent aux bras de son père. Ce dernier ne réagit pas. Il se contenta de tomber à genoux et de baisser la tête.

— Les laisse pas m'emmener ! hurlait l'enfant. Margot, à l'aide !

La jeune fille se releva lentement.

— Papa ! s'écria-t-elle. Empêche-les d'emporter Henry !

Elle se dirigea vers son petit frère d'un pas trébuchant, mais les branches flexibles du sapin s'enroulèrent autour de ses chevilles et de ses poignets, comme l'auraient fait des chaînes, et la tirèrent brusquement vers l'arrière.

Les créatures se tournèrent vers elle. La terreur, pareille à l'emprise glaciale de la mort, la paralysait. L'un des démons lui sourit. Il s'approcha et passa un long doigt sur sa joue ensanglantée.

— Tu es faible et apeurée. Tu n'es qu'une pauvre estropiée, siffla-t-il. Vous êtes des estropiés, tous autant que vous êtes !

— Margot ! appela Henry.

Malgré les hurlements de son frère, la jeune fille percevait une petite musique – une mélodie jouée par un orgue de barbarie. Où l'avait-elle déjà entendue ?

Tandis qu'elles tiraient Henry, l'obligeant à sortir par la fenêtre, les créatures entonnèrent un nouveau chant.

« Une fois qu'il a disparu, plus moyen de revenir
Une fois qu'il est entré, plus moyen de sortir

Abandonné dans l'obscurité
À jamais isolé
Avec ses peurs et ses doutes… »

Les cris de Henry, qui se mêlaient à cet atroce refrain, s'éloignèrent peu à peu…

« *Plus moyen de sortir… plus moyen de sortir… plus moyen de sortir…* »

Margot se réveilla en sursaut. La terreur lui coupait la respiration, empêchait l'air d'arriver à ses poumons.

Dès qu'elle parvint à reprendre son souffle, elle bondit hors de son lit afin d'aller vérifier s'il n'était rien arrivé à son frère.

Elle remonta le couloir sur la pointe des pieds et passa la tête dans l'entrebâillement de la porte. Général Kwik, surpris par cette intrusion, poussa un petit cri perçant et détala vers le fond de sa cage.

— Henry ? Henry, réveille-toi !

Elle appuya sur l'interrupteur. La couette était de travers et l'infortuné Kappi avait été jeté à terre, mais Henry n'était pas là. Où se cachait-il ? Elle mit les draps sens dessus dessous, ouvrit brusquement le placard. Rien. Elle courut jusqu'à la salle de bains, alluma la lumière, tira le rideau de douche. Rien non plus. Pas plus que dans la chambre d'amis.

Où était-il passé ? Était-elle encore en train de cauchemarder ? Il avait peut-être eu peur du noir et était allé rejoindre leur père dans sa chambre. La jeune fille alla y jeter un coup d'œil. À pas de loup, elle entra, s'approcha de l'immense lit et tapota la couette. Mais son père, dont les ronflements étaient graves et sonores, dormait seul.

Elle sortit à toute allure et gagna le rez-de-chaussée, où une odeur de fumée chatouilla ses narines. Elle s'immobilisa, et, percevant le crépitement du bois en train de brûler dans la cheminée du bureau, elle s'y précipita.

La pièce était plongée dans le noir, et seule brillait la lueur ambrée du feu. L'ombre de Henry, démesurée, déformée, était projetée sur le mur. Il était agenouillé devant la cheminée, une couverture à carreaux drapée sur ses épaules. Margot descendit les deux marches de pierre qui menaient dans la pièce. Sans se retourner, le petit garçon dit d'une voix calme mais glaciale :

— J'avais besoin de me réchauffer, sœurette, rien d'autre. Papa s'est pas soucié de réparer les vitres de ma chambre. Et le froid continue d'entrer, ajouta-t-il en attisant les braises avec le tisonnier.

La jeune fille s'approcha lentement. Il avait beau parler doucement, il sembla à Margot que sa voix était celle de quelqu'un... de plus âgé.

— Tu n'as pas le droit de faire du feu, Henry. Tu sais ce que papa dirait, s'il savait...

— Il s'en fiche. Même si je mettais le feu à toute la maison, il sortirait pas de son lit.

Elle s'accroupit près de lui et pencha la tête afin de le voir de profil. Des ombres jouaient sur le visage de l'enfant.

— Tu ne penses pas ce que tu dis, Henry. Tu sais bien que papa nous aime. Qu'il t'aime. Il nous soutient à cent pour cent.

— Non. Papa est vieux, perdu et effrayé. On sent sa peur, comme une odeur de fruit pourri.

— Pourquoi t'es-tu enfui de la maison, aujourd'hui ? Est-ce que quelque chose t'a effrayé ? Tu peux tout me dire, tu sais. Ça ne me dérange pas.

Elle vit étinceler les yeux bleus de son petit frère.

— Non, j'avais pas peur. J'ai peur de rien.

Margot l'attrapa par le bras. La froideur de sa peau la stupéfia.

— Henry, je veux t'aider. Parle-moi.

— J'ai pas besoin d'aide. Je vais très bien, se contenta-t-il de répondre.

Il tendit une main vers le feu et agita les doigts au-dessus des langues de feu dansantes ; il souriait, ainsi qu'il l'aurait fait en présence d'un nouvel ami. Il approcha davantage sa main, la baissa vers les flammes et se mit à les caresser.

— Henry ! Ne fais pas ça !

Margot se jeta sur lui et le poussa vers l'arrière. Tous deux roulèrent à terre. Le petit garçon lâcha le tisonnier, qui retomba bruyamment sur le sol. La pointe de l'objet atterrit sur le tapis, dont la laine se mit à fumer.

Margot fusilla son frère du regard.

— Ça va pas bien ? Qu'est-ce qui t'a pris ?

Henry fixait le feu. Les flammes vacillantes se reflétaient dans ses yeux.

— Je voulais simplement vérifier s'il était vraiment chaud.

Il baissa la tête et observa sa main rougie, comme s'il s'agissait d'un nouveau jouet ; des cloques apparaissaient déjà au bout de ses doigts.

— Ça me fait une... drôle d'impression.

— Henry, il faut passer ta main sous l'eau froide. Je ne sais pas ce qui se passe dans ta tête ces derniers temps, mais tu sais très bien que le feu...

— Qu'est-ce que vous fichez, là-dedans ? s'écria leur père, en entrant précipitamment dans le bureau.

Il piétina le tapis de son pied nu afin d'étouffer la fumée, laissant derrière lui un cercle noirci de la taille d'une pièce de monnaie, puis ramassa le tisonnier et le replaça brutalement sur son support. Il attrapa Margot par le col, la souleva et l'obligea à s'éloigner de son frère.

— Qui a allumé ce satané feu ? hurla-t-il.

— C'est Henry, expliqua la jeune fille. J'essayais de l'empêcher de se brûler.

— *Moi ?* s'écria l'enfant. C'est pas vrai ! Je sais même pas faire du feu ! C'est l'odeur de la fumée qui m'a réveillé. C'est elle ! Elle m'a menacé. Elle a dit que si je la dénonçais, je le regretterais, et ensuite, elle m'a poussé vers la cheminée, ajouta-t-il en montrant sa main à son père. Regarde !

— Mais... il... il ment ! balbutia Margot, éberluée. Il n'était pas dans son lit, alors je l'ai cherché. Je me faisais du souci pour lui !

— Du souci ? répéta son père d'un ton méprisant. Alors que tu étais en train de lui taper dessus ?

— Non ! Je ne lui ai rien fait ! Au contraire ! Je l'ai empêché de se faire du mal !

— Margot ! tonna Thom Halloway. Je ne tolère pas qu'on me mente dans cette maison ! Est-ce clair ?

Il bouillait de rage. Mais il n'était pas le seul.

— Si tu savais à quel point tu te trompes, papa !

Soudain, le bras de son père heurta l'écran de cheminée, qui bascula à terre.

— Et moi qui croyais que je pouvais compter sur toi, Margot. Je pensais que cette famille avait de l'importance pour toi...

Il dévisageait sa fille, mais en réalité, on aurait cru qu'il s'adressait à quelqu'un d'autre.

— Ne t'avise plus de me parler ainsi, rétorqua-t-elle, furieuse. Je ne suis pas elle.

À ces mots, la colère de Thom Halloway retomba aussitôt. Il baissa les yeux, incapable de regarder sa fille en face.

Henry s'agrippa à la jambe de son père.

— On sait que tu nous aimes, papa. Que tu nous soutiens à cent pour cent, ajouta-t-il en jetant un coup d'œil à sa sœur.

Un petit sourire flotta sur les lèvres du garçon. Margot était furibonde, mais, consciente d'avoir perdu, elle préféra ne pas répondre.

— Je peux retourner dans ma chambre, à présent ? demanda-t-elle.

Son père acquiesça. Elle lança un dernier regard irrité en direction de son frère, avant de sortir du bureau d'un pas résolu. Tandis qu'elle s'éloignait, elle entendit son père s'adresser à l'enfant.

— Quant à toi, mon bonhomme, il faut qu'on te soigne cette main. Ensuite, au lit ! Je t'apporterai une couverture de plus. Tu es mort de froid.

7

La veille du 25 décembre, le père de Margot partit travailler dès l'aube. Il avait obtenu un nouveau contrat pour l'expansion d'un ensemble immobilier destiné à des familles à bas revenus de Wennemack, une ville sinistre située à une demi-heure de route de Cutter's Wedge. Le sol était gelé et les fondations ne pourraient être posées avant la fin du mois de mars, mais Thom Halloway, qui s'organisait toujours méticuleusement, avait l'habitude de visiter ses chantiers des mois à l'avance en compagnie d'un petit groupe de ses ouvriers, et de planifier chaque étape du travail à venir avant l'arrivée du printemps. Ce jour-là, il avait promis à son équipe de finir suffisamment tôt, afin qu'ils puissent rentrer chez eux à temps pour le repas de Noël. Pourtant, Margot se demandait s'il se sentait tenu de faire de même avec sa propre famille.

Étendue dans son lit, la jeune fille sentit l'odeur du café brûlé flotter jusqu'à elle. Son père buvait son café noir et sans sucre, un breuvage épais, presque vaseux. Cet arôme amer mais familier lui évoquait une routine confortable. Cependant, il semblait à Margot que ce temps était bel et bien révolu.

Ce jour-là, son père lui avait interdit de quitter la maison. Et bien qu'il fût absent jusqu'au soir, elle se retrouvait plus ou moins assignée à résidence : elle savait qu'il l'appellerait toutes les heures ou presque afin de vérifier qu'elle était là pour décrocher le téléphone. Il lui était arrivé de désobéir une seule fois à ce genre de consigne, et elle s'était vue privée de téléphone portable, d'amis et de sorties pendant un mois entier. Même si elle s'éclipsait une petite heure, en prenant soin d'être là pour le coup de fil suivant, elle était convaincue que Henry la dénoncerait.

Henry. Il l'avait trahie.

Elle ne comptait plus les fois où, par le passé, ils s'étaient battus. Ils s'étaient disputés, hurlés dessus, frappés, giflés, claqués... Henry avait rapporté, lui avait fait des reproches, l'avait embêtée, s'était mêlé de ce qui ne le regardait pas, et l'avait espionnée comme le ferait n'importe quel autre petit frère. Mais jamais il n'avait menti pour la faire punir. Du moins, pas avant la nuit précédente.

Margot enfila un pantalon marron en velours côtelé et un pull à capuche gris – son préféré – tout en réfléchissant à un plan d'attaque. Elle pourrait peut-être essayer d'amadouer Henry. Elle allait lui préparer des gaufres aux copeaux de chocolat, un petit déjeuner qu'il appréciait pardessus tout. Ensuite, ils essaieraient de vraiment discuter. C'était le premier Noël qu'ils passaient sans leur mère et Margot savait que son absence était le nœud du problème. Rien de plus normal, en fin de compte.

En route vers la salle de bains, elle s'immobilisa au milieu du couloir.

Pas un seul bruit. Il faisait froid. Quelque chose avait changé.

La porte de la chambre de Henry était ouverte. Soudain, elle comprit pourquoi le silence l'avait intriguée. On n'entendait plus les griffes minuscules de Général Kwik gratter inlassablement le fond de sa cage ; ni les piaillements stridents de l'animal ; ni les grincements rouillés de l'insupportable roue. D'ordinaire, c'était entre l'aube et la fin de matinée que le hamster connaissait l'une de ses périodes les plus actives de la journée, durant laquelle il courait, trottinait et gratouillait dans sa cage, avant de se mettre en boule et de sombrer dans le sommeil, aux alentours de midi.

Margot jeta un coup d'œil à l'intérieur de la pièce. Henry, dont les boucles châtain s'étalaient sur l'oreiller, dormait encore. Une lourde couverture de laine avait été ajoutée à sa couette déjà épaisse. De même, Margot avait remarqué que leur père avait augmenté le chauffage. Elle songea que l'enfant devait étouffer de chaleur, mais son souffle paisible semblait indiquer que tout allait bien.

La cage du hamster était jonchée de copeaux de pin et d'épis de maïs rongés. Des tubes de plastique transparent, de taille et de couleur variées, se déployaient dans toutes les directions et menaient à de petits terriers. Chacune de ces niches abritait un objet miniature, qu'il était un peu stupide de proposer à un rongeur – un camion, un fauteuil ou encore un tunnel en tissu.

Margot s'approcha de la cage sur la pointe des pieds et chercha vainement Général Kwik du regard. La roue était couchée sur le côté, le petit bol d'eau avait été renversé et le loquet qui fermait la grille était resté ouvert.

Il arrivait que Henry oublie de verrouiller la cage, et son hamster, toujours curieux, s'était déjà échappé. Sa destination de prédilection était la salle de bains qui se trouvait au bout du couloir. Il prenait un plaisir incompréhensible à grignoter des rouleaux de papier toilette vides, des mouchoirs morveux et du fil dentaire usagé. La dernière fois, il s'était faufilé au fond du placard, et quand Margot l'avait retrouvé, il était en train de ronger une de ses boîtes de tampons hygiéniques.

Elle sortit discrètement de la chambre et se dirigea vers la salle de bains ; elle s'attendait à trouver le petit animal sur le rebord du lavabo, où il avait dû laisser un joli petit tas de crottes sur le nécessaire à raser de son père.

Pas de chance : la pièce était déserte. Mais elle s'aperçut que la cuvette des toilettes, qui gargouillait, semblait obstruée.

— Bon sang ! Je croyais que papa avait réparé ce truc, marmonna Margot.

Elle tira la chasse. Le niveau de l'eau monta en tourbillonnant, de plus en plus haut, menaçant de passer pardessus le rebord de céramique.

— C'est une blague ! s'exclama-t-elle en attrapant la ventouse qu'elle enfonça dans la cuvette. Joyeux Noël, Margot !

La canalisation parut se déboucher et une bonne goulée d'eau sale fut aspirée. L'eau glouglouta une ou deux fois puis s'immobilisa, sans revenir remplir la cuvette. La jeune fille jura doucement et observa le fond des toilettes. Soudain, elle vit quelque chose apparaître sous la surface de l'eau ; on aurait dit un petit morceau de cuir, ou une touffe de cheveux. Elle l'examina de plus près et, voyant de quoi il s'agissait, plaqua la main contre sa bouche.

Une queue.

Margot trouva des gants de caoutchouc sous le lavabo et les enfila. À présent, elle voyait aussi une patte arrière, qui venait d'émerger de la canalisation.

— Oh non… c'est pas vrai !

Elle y plongea la main et s'empara de la patte visqueuse

du hamster. Elle sentit un minuscule craquement d'os à l'intérieur du petit membre déjà mutilé. Elle tira. Les côtes de l'animal, pareilles à des cure-dents brisés, percèrent l'enveloppe de peau.

Le hamster se réduisait à une masse de poils et de chair détrempés. Margot se redressa et caressa la fourrure du rongeur.

Durant deux ans, elle avait vu Henry s'occuper de cette petite boule dont les piaillements irritaient la jeune fille ; elle l'avait observée, tandis qu'il traversait le séjour en roulant à l'intérieur d'une balle en plastique ; avait accouru chaque fois que son frère voulait qu'elle voie ce stupide animal grimper dans une petite télévision en plastique que l'enfant avait acheté avec l'argent de son anniversaire.

— Regarde, Margot ! lui disait Henry en riant. C'est le spectacle du Général Kwik !

Comment vais-je lui annoncer ? se demanda-t-elle.

La sonnerie du téléphone la fit sursauter. Le petit cadavre du Général Kwik lui glissa des mains et s'écrasa sur le sol en faisant « floc ! ». Elle entendit Henry se précipiter dans la chambre de leur père, où se trouvait le téléphone. Elle ramassa le hamster, fit couler deux gouttes de savon liquide sur le corps du rongeur puis le passa sous le robinet.

— Margot ! hurla son frère depuis le couloir. C'est papa ! Il veut te parler !

— Dis-lui que je le rappelle dans cinq minutes !

Elle eut un mouvement de recul à la vue du savon qui moussait sur les yeux ouverts de l'animal. *Comme c'est bizarre*, songea-t-elle. *Même la disparition d'une créature aussi insignifiante donne l'impression que le monde est soudain plus froid et plus vaste*. Elle essuya les yeux noirs du hamster avec son petit doigt.

— Il veut te parler tout de suite !

— Merde ! Je suis dans la salle de bains !

— Il veut savoir si tu es à la maison, vu qu'il t'a interdit de sortir… ajouta Henry.

Elle referma le robinet et essuya Général Kwik avec une petite serviette, avant de l'y envelopper. Elle hésitait. Que faire à présent ? Les pas de Henry se rapprochèrent.

— Qu'est-ce que tu fabriques là-dedans ? demanda-t-il.

— Du parachute ! s'écria-t-elle avec colère, tout en donnant un coup de pied dans la porte afin de la refermer complètement. D'après toi ? Qu'est-ce que je fais ?

— Général Kwik s'est enfui de sa cage. Tu l'as pas vu ? demanda l'enfant.

— Non, répondit-elle d'instinct, en prenant conscience qu'elle venait de lui mentir.

En entendant son frère rebrousser chemin, elle le rappela :

— Attends, Henry !

Elle rouvrit et sortit de la salle de bains en tenant la serviette contre elle. Son frère se trouvait devant elle, dans son pyjama d'éponge trop grand. Il ressemblait de nouveau au petit garçon qu'elle connaissait et qu'elle aimait.

— Qu'est-ce que tu veux ? demanda-t-il.

— Il est arrivé quelque chose au Général. C'est plutôt grave, ajouta-t-elle en soulevant un coin de la serviette. Je crois bien qu'il est mort, tu sais.

— Comme madame Boswell ?

Margot se figea. Il n'avait pas reparlé de la vieille dame depuis le soir de son décès. Très naïvement, elle avait espéré qu'il aurait oublié l'arrivée de l'ambulance, l'officier de police vêtu d'un blouson noir qui avait frappé à leur porte, le départ du cadavre... En réalité, il savait parfaitement ce qui s'était passé.

— Madame Boswell est morte parce qu'elle était âgée et que... son heure était venue, j'imagine. Mais ton hamster...dit-elle en s'accroupissant afin de lui montrer le petit corps. Je crois qu'il a grimpé jusqu'au lavabo. Papa n'a pas dû vider l'eau après s'être rasé ce matin. Et le Général s'est noyé. Je suis vraiment désolée, ajouta-t-elle, incapable d'avouer à Henry une vérité plus atroce encore.

La bouche légèrement entrouverte, les yeux écarquillés, le petit garçon se pencha vers le hamster mort.

— Tu penses qu'ils ont souffert ?

Margot ne s'attendait pas à pareille question. Elle déglutit, au souvenir du craquement qu'elle avait senti quand elle avait sorti l'animal de la cuvette, et du visage terrifié et sans vie de madame Boswell.

— Je ne crois pas, non.

Du bout de son index, Henry caressa le crâne de la petite bête.

— On dirait qu'il est cassé... fit-il observer. Et qu'il est tout tordu.

Margot poussa un gémissement chevrotant, qui sortit étouffé. Puis elle se mit à pleurer, sans pouvoir s'arrêter. Agenouillée dans le couloir, un rongeur mort entre les mains, elle ne parvenait plus à bouger, comme si elle participait à une étrange cérémonie sacrificielle.

— Tu pleures...

Elle leva la tête vers son frère. Il pencha légèrement la sienne de côté. Ses yeux bleus la dévisageaient, froids et intrigués. Il effleura une des larmes qui coulaient le long des joues de sa sœur, retira son doigt et l'examina comme s'il présentait quelque chose de nouveau, qui demandait à être étudié et disséqué.

— Ben oui, je pleure, c'est normal, non ? D'abord, il y a eu madame Boswell. Et maintenant ton hamster. Tu n'es pas triste, toi ? Tu n'as pas envie de l'avoir entre les mains ? demanda-t-elle en lui tendant le cadavre. Au moins pour lui dire au revoir ?

— Qu'est-ce que j'aurais à lui dire ? répondit-il d'un ton impassible. Maintenant qu'il est mort, je sais pas quoi faire de lui.

Sa lèvre tremblota. Margot, voyant qu'il semblait enfin éprouver quelque chose, préféra ne pas insister.

— Bon, dit-elle en essuyant la morve qui sortait de son nez, il faut qu'on lui trouve un joli cercueil. Un petit nid douillet. Ensuite, on ira l'enterrer dehors. On fera une prière pour que son esprit puisse s'échapper.

Henry parut perplexe. Il posa la main sur le hamster. Ses doigts serrèrent le corps spongieux et la peau couverte de poils céda sous sa pression.

— Où est-ce qu'il va, son esprit ? demanda-t-il d'un air détaché.

— Au ciel, Henry.

— T'as déjà vu un esprit ?

— Non, on ne peut pas les voir. Mais on les sent, à l'intérieur, répondit-elle en désignant la poitrine de son frère. Au fond de ton cœur. C'est ce qui fait que tu es toi, et pas un autre.

Le garçon resta immobile un instant.

— Je vais chercher une boîte à chaussures. Tu pourras l'enterrer, mais d'abord, tu dois me faire des gaufres, dit-il avant de tourner les talons.

— Il n'a pas voulu sortir pour l'enterrer avec toi ? s'étonna Alex.

Le jeune homme descendit du vélo rouillé à douze vitesses qu'il possédait depuis la classe de cinquième et rejoignit Margot, qui traversait d'un pas lourd le jardin couvert d'une neige que personne n'avait encore foulée. Elle avait une boîte à chaussures et une pelle dans les mains.

— C'est dur à avaler, quand même, poursuivit Alex. Il est vraiment dans un sale état ?

— Eh bien, je lui ai brisé quelques côtes en le tirant de la cuvette des toilettes, mais il était déjà mort.

— Je te parle pas du hamster, espèce d'idiote, mais de ton frère. C'est dans sa tête que ça ne va pas ?

Les bottes de la jeune fille fissuraient la fine couche de glace avant de s'enfoncer dans la poudreuse. Alex avançait maladroitement à ses côtés.

— Oui, ça va plutôt mal. Il ne sait plus où il en est, tu sais. Il donne l'impression de vouloir jouer au petit dur, comme s'il en avait besoin. Il n'a même pas pleuré quand il a vu que Kwik était mort.

— Moi non plus, j'ai pas pleuré quand mon chat s'est fait écraser par une voiture, rétorqua Alex, qui se souvint qu'il en avait eu envie, mais qu'il s'était retenu. J'avais à peu près l'âge de Henry. Mais il faut dire que...

— ... que tu es un dur à cuire toi aussi... !

Le jeune homme sourit d'un air suffisant.

— Ouais, c'est vrai, tu me connais. Je pourrais essayer de parler avec Henry, si tu veux. Entre mecs. Ça va peut-être te sembler un peu vieux jeu, mais...

— Tu serais prêt à faire ça ?

— Bien sûr, répondit-il en prenant la pelle des mains de Margot. Donne, laisse-moi faire.

Il déblaya un peu de neige puis planta la pelle dans le sol, qui lui parut aussi dur qu'un mur de briques. Il se demanda s'il arriverait à creuser un trou assez profond pour y enterrer la boîte à chaussures, mais préféra ne pas en faire part à Margot. Elle semblait bien décidée à aller au bout de ces funérailles.

— Est-ce qu'il est complètement gelé ? demanda-t-elle.

— Disons qu'on en a pour un petit moment...

Du coin de l'œil, Alex aperçut une silhouette à l'une des fenêtres du premier étage. Il reconnut Henry, qui devait être dans sa chambre ; aussi immobile qu'une sculpture de glace, l'enfant les observait derrière une vitre fendillée.

— Tu l'as vu, Margot ? C'est quand il est comme ça qu'il te fiche la trouille ?

La jeune fille suivit le regard de son ami.

— Oui, soupira-t-elle. Il se comporte bizarrement. Comme si ça ne tournait plus rond dans sa tête.

— Je peux jeter un coup d'œil au hamster ?

— Pour quoi faire ?

Alex s'empara du cercueil en carton et l'ouvrit. Il en sortit le petit cadavre et le retourna, avec l'espoir que ses soupçons n'étaient pas fondés.

— Tu dis que tu l'as trouvé dans les toilettes ?

— Ouais, il bouchait la canalisation.

Il souleva la tête de l'animal et examina les blessures éventuelles de la petite créature.

— T'as vu ? Il a le cou brisé, fit-il observer.

— Oui, je t'ai déjà expliqué que je lui ai cassé quelques os quand il a fallu le tirer de la cuvette, et que...

— Je crois que ça n'a rien à voir, regarde, dit-il en désignant la fine épaisseur de peau qui rattachait encore la tête au corps. Quelqu'un a dû...

Il s'interrompit et lança un regard en direction de la fenêtre. Henry avait disparu.

— Qu'est-ce que tu fais ici, Alex ?

L'enfant venait d'apparaître sur la véranda. Emmitouflé dans plusieurs couches de pulls et enveloppé dans la parka verte doublée de duvet de son père, il ressemblait à une courgette bosselée. Alex aurait volontiers éclaté de rire, si la voix venimeuse du petit garçon ne l'en avait pas dissuadé.

— Je suis venu faire mes adieux au Général Kwik, Henry.

Sur ce, le jeune homme reposa le hamster dans sa boîte, referma le couvercle et rendit le cercueil improvisé à Margot, sans pour autant quitter l'enfant des yeux.

— Ce qui lui est arrivé me fait vraiment de la peine, mon pote. Tu te sens comment ?

— Margot a pas le droit de quitter la maison. Tu ferais mieux de rentrer chez toi avant que mon père téléphone, répondit Henry en remontant le col de la parka. Il t'aime pas trop, tu sais, ajouta-t-il en tournant les talons afin de rentrer dans la maison.

— Retire ça tout de suite, Henry ! lança sa sœur d'un ton sec. C'est *ton* animal qu'il est venu m'aider à enterrer !

Alex fit signe à Margot de se taire et partit derrière l'enfant.

— Hé !

Henry continua d'avancer sans répondre.

— Henry ! Attends. Allez, mon pote, attends une seconde.

Le petit garçon se tourna vers lui, les yeux étincelants.

— Je rentre, un point c'est tout. Il fait trop froid dehors.

Le jeune homme regarda le soleil et plissa les yeux.

— On a vu pire. Le thermomètre est au-dessus de zéro aujourd'hui. Et puis, tu adores ça, l'hiver, pas vrai ? Comme tous les grands surfeurs des neiges !

— Ouais, répondit l'enfant, qui s'était arrêté sous la véranda.

— Tu veux bien rester une minute ? J'aimerais te parler.

Henry parut contrarié mais ne répondit rien.

— Pas plus d'une minute... s'il te plaît ?

Le petit descendit les marches en titubant, s'arrêta près d'Alex et le fixa d'un air impatient.

— Margot s'inquiète pour toi, Henry. Est-ce que tout va bien en ce moment ?

— Oui, tout va bien. Je peux y aller, maintenant ? dit-il tout en faisant demi-tour.

Mais le jeune homme lui attrapa le poignet.

— Attends, j'ai pas terminé. Qu'est-ce qui s'est passé, avec Kwik ? Il y a eu un accident ?

— Lâche-moi, lui ordonna Henry d'un ton calme et menaçant à la fois.

Ses yeux se braquèrent sur ceux d'Alex et ce dernier sentit une puissance glaciale se refermer sur lui. Dans le regard de l'enfant, rôdait une lueur inhumaine qui maintenait le jeune homme dans un étau.

Alex s'efforça de détourner les yeux. En pure perte. Aspiré par le regard bleu de l'enfant, son corps refusait d'obéir à son cerveau. Il était de nouveau sous l'eau, suffoquant, paralysé, les poumons brûlants. La lumière du soleil s'évanouit ; un tunnel apparut et, bientôt, les ténèbres l'enveloppèrent de toutes parts. Seul le visage de Henry ondulait devant lui. Le souffle coupé, il sentit l'eau envahir sa poitrine...

Il toussa et eut un haut-le-cœur. Puis comprit qu'il n'était pas en train de se noyer ; qu'il n'y avait pas d'eau, mais seulement les profondeurs froides et bleues des yeux de Henry.

Alex s'effondra à genoux dans la neige, peinant à reprendre sa respiration. Le petit garçon sourit.

— Rentre chez toi, Alex. Tu n'es pas le bienvenu dans cette maison, ajouta-t-il avant de rire avec amertume et de s'éloigner.

Le jeune homme avait retrouvé sa respiration. Son cœur battait fort, de rage et de peur mêlées. Il s'empara d'un morceau de neige dure et gelée et le lança de toutes ses forces en direction de Henry. Le projectile heurta brutalement l'arrière du crâne de l'enfant.

— Alex ! s'exclama Margot d'une voix stridente. Calme-toi !

Henry poussa un cri perçant et fit volte-face. Laissant échapper un grognement, il se jeta sur Alex, qui tomba à la renverse. Les mains de l'enfant s'enroulèrent autour du cou du jeune homme et, soudain, ce dernier fut de nouveau submergé de plein fouet par la sensation de noyade.

— Henry ! Arrête ! hurla Margot.

Alex donnait des coups de pied dans le vide et se contorsionnait, les poumons en feu. La jeune fille attrapa son frère par les épaules et essaya de le tirer vers l'arrière.

— Laisse-le tranquille ! ARRÊTE !

Henry se débattit et son coude entra en contact avec le visage de sa sœur, juste au-dessous de l'œil gauche. Margot, le souffle coupé, le lâcha en titubant.

Alex en profita pour prendre une poignée de neige qu'il

écrasa contre le visage du petit garçon ; celui-ci poussa un hurlement perçant et recula d'un bond. La jeune fille se précipita sur son petit frère afin de le saisir par la taille, mais il la devança et, se jetant sur elle, lui donna un coup de tête dans le nez. Elle s'écrasa lourdement sur le sol, pareille à un sac de pierres.

Alex, dont la vision était voilée par de petits points jaunes, essaya de fixer Henry. Sur la joue et le nez du petit garçon, là où le jeune homme avait écrasé de la neige, la peau semblait... *brûlée*. Pareille à de la viande crue qu'on aurait plongée dans une casserole d'eau bouillante. Et sous les lambeaux noircis, la peau paraissait se ramifier en filaments gris...

— Bon Dieu... murmura Alex.

Henry cacha son visage entre ses mains et se précipita vers la maison.

Étendue dans la neige, Margot ne bougeait plus, tandis que du sang chaud jaillissait de son nez, souillant la blancheur qui l'entourait.

8

Margot se souvint vaguement de s'être accrochée à Alex tandis qu'il pédalait à toute allure.

— Margot ! Est-ce que tu m'entends ? Ne me lâche surtout pas !

Engourdie par la douleur, elle avait cependant réussi à rester raide en se concentrant sur la voix de son ami.

Quand elle se réveilla, la première chose qu'elle vit fut le visage soucieux d'Eben ; penché au-dessus d'elle, le vieux libraire maintenait gentiment en place un sac de glaçons sur son nez. En sentant la peau tuméfiée sous son œil, la jeune fille grimaça. Alex, debout à côté d'Eben, se mordillait les lèvres avec inquiétude.

La jeune fille était allongée sur une étroite méridienne d'époque victorienne, derrière laquelle se trouvait un meuble vitré rempli de livres anciens. Un chat orange dont l'un des crocs était plus long que l'autre rôdait dans le couloir qui donnait sur le séjour. Ils étaient dans l'appartement d'Eben, au-dessus de la boutique.

— Tu n'as rien de cassé, lui dit le libraire. En revanche, tu vas avoir quelques hématomes.

Alex s'approcha d'elle.

— C'est ce qu'on appelle un joyeux Noël, ironisa-t-il en lui caressant les cheveux, un sourire aux lèvres. Je me suis dit qu'il valait mieux t'amener ici plutôt que chez moi, où il aurait fallu que tu expliques à ma mère pourquoi ton nez ressemble à une grosse prune…

Margot acquiesça. Elle essaya de se redresser mais la tête lui tournait tant qu'elle fut obligée de s'étendre de nouveau. Eben posa la main sur son épaule.

— Vas-y doucement. Autant éviter que ça saigne de nouveau.

— Où est Henry ? demanda-t-elle.

Passant la langue sur ses dents, elle sentit un goût de rouille envahir sa bouche – du sang séché. Des images aux contours flous flottaient dans son esprit. Elle se tourna vers Alex et, apercevant les légères traces bleuâtres que les mains de Henry avait laissées autour du cou de son ami, elle se rappela ce qui était arrivé.

— C'est pas vrai… Est-ce que ça va ?

— Oui, t'inquiète, répondit le jeune homme en portant instinctivement la main à son cou. J'imagine que ton frère est resté chez vous.

— Tout seul ?

— Pour l'instant, oui.

— Il faut que j'y aille. Mon père… dit-elle, en se relevant, chancelante. Il va me tuer s'il découvre que je l'ai laissé tout seul à la maison, surtout la veille de Noël !

— Assieds-toi, Margot, ordonna Eben.

Elle se laissa retomber sur la méridienne.

— Henry a tué son hamster, fit observer Alex.

— Je sais, avoua-t-elle, une boule dans la gorge. Je crois que je le savais avant même que tu le comprennes.

— Il a besoin de voir quelqu'un, intervint le vieux libraire. Je ne veux pas m'immiscer dans ta vie de famille, Margot, mais s'il se met à faire du mal aux autres… Il ne faudrait pas que ça s'aggrave... ajouta-t-il après avoir ôté ses lunettes pour les essuyer avec un bout de tissu.

— Oui, je sais. Il a besoin de voir un psy.

— Un psy ne suffira pas, rétorqua Alex.

D'une main tremblante, celui-ci prit un verre d'eau posé sur la table basse. Les glaçons qu'il contenait s'entrechoquèrent bruyamment.

— Je crois, reprit-il, qu'il lui est arrivé quelque chose l'autre soir... après la lecture de ce livre.

— Hein ? *Les Démoniaques* ? Je lui ai seulement lu une histoire. Mais maintenant, je me dis que ç'a dû réveiller de mauvais souvenirs.

— Rien à voir avec des souvenirs, Margot.

— Quoi alors ?

— Il n'est plus le même, répondit Alex en la regardant droit dans les yeux. Je crois qu'il ne s'agit plus de Henry. Que ce n'est plus ton petit frère...

La jeune fille s'étrangla de rire.

— Ah oui ? Il est qui, dans ce cas ? Le pape ?

Le jeune homme, la mine sérieuse, ne dit rien.

— Attends... Sérieusement, tu crois que... ? Quelle idée géniale, Alex ! C'est énorme ! Merci pour cette approche rationnelle au possible... Grâce à toi, on va aller vachement loin, c'est sûr.

— J'ai d'abord cherché une explication rationnelle, mais ça n'a rien donné...

— Attends un peu, Alex, l'interrompit Eben. Qu'est-ce que tu cherches à nous dire, précisément ?

Margot pointa le doigt en direction de son ami.

— On parle d'un livre, Alex ! *Les Démoniaques*, c'est seulement de la fiction ! Des mots, rien d'autre.

— Derrière les mots, il y a toujours une part de vérité. Le

Cyclope a-t-il vraiment existé ? Non, bien sûr. Mais est-ce que quelqu'un aurait pu naître avec un œil unique ? Avec une affreuse malformation qui l'aurait fait passer pour un mutant ? ajouta-t-il en se tournant vers le vieil homme. Vous qui avez lu tous les livres possibles et inimaginables, vous devez comprendre où je veux en venir ?

Le vieux libraire réfléchit un instant.

— Les contes et les légendes puisent-ils en partie leur source dans le réel ? Oui, évidemment. Mais de là à dire qu'à cause d'un livre, il existerait des créatures appartenant à une autre dimension, qui voleraient les âmes des enfants... Cela me semble peu probable. Et je ne pense pas que cette hypothèse soit très constructive.

— Laissez-moi vous expliquer, répliqua Alex. Henry est un gamin qui a facilement la trouille. Si les Vores existent pour de bon et qu'elles s'en prennent à ceux qui éprouvent de grandes terreurs durant la Nuit des Ombres, alors Henry serait la victime idéale, pas vrai ?

— Désolée d'avoir à te le rappeler, répondit Margot, mais tu n'as pas fait preuve d'un courage exceptionnel non plus, l'autre soir... Et dans ce cas, pourquoi elles ne s'en seraient pas prises à toi ?

— Parce que je n'étais pas seul... et que je ne croyais pas vraiment à cette histoire de Vores. Tu te souviens de la façon dont elles ont réussi à prendre possession de Jeremy, dans le livre ? Macie s'est enfuie et l'a laissé tout seul dans le champ. Pour nous, c'était juste un jeu. En revanche, Henry y a cru.

— Tu veux dire que si je rentre chez moi et que je répète trois fois « Bloody Mary[1] » face au miroir, un cadavre ensan-

1. Superstition répandue aux États-Unis, « Bloody Mary » (« Marie la Sanglante ») désignant le plus souvent le fantôme d'une jeune fille assassinée.

glanté va surgir derrière moi… ? Qu'il suffit pour cela que j'y croie ? rétorqua la jeune fille. Chouette. Henry et Mary pourront peut-être aller massacrer quelques chats de gouttière ensemble !

— J'ai vu des trucs, Margot.

— Quels trucs ?

— La peau de Henry, par exemple. Quand la neige est entrée en contact avec son visage, il s'est passé quelque chose de bizarre… Sa peau s'est… assombrie.

— Comme des rougeurs ?

— Non, une brûlure, plutôt.

— La peau de certaines personnes réagit assez mal à des températures extrêmes, fit remarquer Eben en se penchant vers son chat, qu'il gratta entre les oreilles. Ça n'a rien d'anormal.

— Mais Henry adore la neige ! Tu l'as déjà vu être allergique à la neige, à la glace ou au gel ? Même une seule fois ?

Margot fit non de la tête.

— Moi non plus, ajouta Alex.

— Tu dis que tu as vu *plusieurs* trucs. À part ça, lesquels ?

— Tu vas me prendre pour un fou.

— C'est déjà fait, rassure-toi.

— Je suis tombé à genoux, tu te rappelles ? C'est parce que je n'arrivais plus à respirer. J'avais l'impression d'être en train de me noyer.

— Qu'est-ce que tu racontes ?

— Henry m'a regardé dans les yeux et c'est comme s'il savait de quoi j'avais le plus peur. Je ne sais pas comment ça peut s'expliquer, mais il savait et il a réussi à réveiller mes terreurs de noyade.

Eben se redressa.

— Ça suffit. Vous êtes tous les deux bouleversés et...

Alex frappa la table du plat des deux mains. Le bruit inattendu fit fuir le chat, qui partit se réfugier sous la méridienne.

— Il y a quelque chose *en* lui ! Bon sang ! Je l'ai vu !

— Qu'est-ce que tu as vu, au juste ? demanda le libraire. Décris-le-nous.

— On était l'un en face de l'autre, et j'ai lu quelque chose dans ses yeux, une lueur cachée derrière son regard.

Margot fronça les sourcils.

— Voilà ce que j'en pense : tu crois avoir vu quelque chose, et je ne te le reproche pas. Il essayait de t'étrangler et tu as flippé, c'est compréhensible. Mais la peur déclenche parfois des choses étranges ; et puis, il faut être honnête, tu as peur de tout, même de ton ombre...

À la vue du visage de son ami, elle regretta aussitôt ses dernières paroles.

— C'est pas ce que je voulais dire...

— Si, tu le penses. Pourtant, je m'en fiche. Je suis un lâche, d'accord. Mais pas un imbécile, Margot. Je sais ce que j'ai vu. Et je suis prêt à parier que madame Boswell a elle aussi vu quelque chose. Henry lui a montré un truc qui lui a fait si peur qu'elle en est morte.

— Non seulement mon petit frère serait une créature démoniaque, mais par-dessus le marché, il assassinerait les vieilles dames ? s'exclama la jeune fille en se relevant. Allez, je m'en vais.

Alors qu'elle passait près de lui, Alex la retint par le bras.

— Ne lui fais pas confiance et ne t'approche pas de lui ce soir. Au moindre problème, appelle-moi et je viendrai. Même si tu as seulement la trouille.

Margot se dégagea brutalement et se dirigea vers les escaliers. Une fois dans la rue, elle s'efforça de placer un pied devant l'autre. Elle ne voulait surtout *pas* penser à ce qui venait d'être dit. Son esprit, tel un château médiéval renfermant tous ses espoirs, était assiégé par les mots d'Alex.

« *Je crois qu'il ne s'agit plus de Henry... Que ce n'est plus ton petit frère...* »

Près d'elle, une Mustang rouge ralentit et se mit à rouler au pas. La vitre se baissa. Quinn était au volant.

— Salut Halloway ! lança-t-il avec un sourire qui s'évanouit aussitôt. Waouh ! Qu'est-ce qui est arrivé à ton nez ?

Margot s'empressa de porter la main à son visage. Elle avait oublié qu'elle ressemblait à un punching-ball.

— Un accident de luge.

N'importe quoi, songea-t-elle catastrophée. *Qui fait encore de la luge à mon âge ?*

— Un combat de luge, dans ce cas ? Allez, viens, je te ramène chez toi.

Margot sourit avec gratitude et tendit la main vers la poignée de la portière. Au même instant, le van de son père s'arrêta derrière la voiture de Quinn.

Thom Halloway baissa la vitre et, d'où elle était, la jeune fille sentit sa colère.

— Monte.

Pendant le trajet du retour, son père ne lui décrocha pas un mot, sauf pour lui demander ce qui était arrivé à son visage. Margot répondit qu'elle avait glissé sur une plaque de verglas.

La jeune fille prit conscience qu'elle n'aimait plus du tout cette période de fêtes. Sa mère était partie, son père ne lui faisait plus confiance et son frère... Que dire de Henry... ? Selon Alex, le petit garçon était devenu une Vore. Toutes les lumières ringardes, les chants de Noël répétés année après année et les rennes en plastique qu'on voyait partout à Cutter's Wedge ne faisaient que renforcer en elle l'idée que ces vacances, décidément, n'avaient rien de réjouissant.

— Si je pouvais, finit par lui dire son père, je te priverais de sortie jusqu'à la rentrée scolaire. Mais je sais que ça gâcherait le Noël de toute la famille.

— La famille, tu parles.

— Ne pousse pas le bouchon trop loin, Margot.

— Oblige-moi à rester enfermée à la maison, vas-y. Pour ce que j'ai à fêter... à part de nouvelles lessives.

La voiture s'engagea dans l'allée menant à la maison, puis son père coupa le moteur. La jeune fille sortit aussitôt du véhicule.

— Arrête de tout prendre de travers, lança son père.

C'est difficile pour chacun de nous. Si tu te comportes ainsi, ça ne va pas arranger les choses…

— Désolée, papa, il faut que j'y aille, il me reste des pantalons à repasser.

Elle claqua la portière de la voiture et se dirigea vers la maison d'un pas décidé.

Une fois à l'étage, elle aperçut de la vapeur chaude qui passait sous la porte de la salle de bains. Henry était dans la baignoire. Il chantait *Deck the Halls*[1]. Un instant, elle songea à entrer pour l'interroger, puis elle se ravisa, repensant à ce qu'Alex lui avait dit.

Ne t'approche pas de lui ce soir.

Elle se rendit directement dans sa chambre et referma la porte derrière elle. Étendue sur son lit, elle sentait le sang marteler son visage tuméfié. Au bout d'un moment, elle entendit les pieds nus de son petit frère remonter le couloir en courant, suivis du pas plus lourd de leur père. Henry s'apprêtait à se coucher, et Margot écouta la conversation qui lui parvenait par le conduit d'aération qui reliait les deux chambres.

— Il faut dormir, maintenant, mon bonhomme.

— Je sais, répondit l'enfant en soupirant. Le Père Noël viendra pas tant que je serai pas endormi…

— C'est drôle, ce que tu dis là. L'année dernière, tu racontais que tu ne croyais pas au Père Noël.

— J'ai changé d'avis.

— Ah bon ? Comme ça ?

— C'est pas parce que quelque chose est invisible qu'elle n'existe pas.

— Tu as tout à fait raison. Bonne nuit, Henry.

1. Un chant de Noël américain.

Margot entendit son père quitter la pièce. Elle resta allongée, les yeux fermés. Le vent qui cognait contre la fenêtre résonnait à ses oreilles. Une image envahit son esprit : celle du corps mutilé du hamster, étendu dans la boîte à chaussures.

— Margot… murmura la voix de son frère. Margot, je m'excuse pour ce qui s'est passé aujourd'hui.

Elle ouvrit les paupières et tourna la tête. Une petite silhouette se tenait sur le seuil de la pièce. Henry. Le pauvre koala en peluche pendouillait au bout de son bras.

— Comment est-ce que t'as pu faire ça à Alex ?

— Je viens de te dire que je m'excusais, non ?

— *Pourquoi* est-ce tu as agi ainsi ?

Elle l'entendait respirer. Elle crut le voir sourire.

— C'est lui qui a commencé.

— Henry, dis-moi ce qui t'arrive… C'est à cause de l'école ? Est-ce que les autres s'en prennent à toi ?

— Non. C'est moi qui les harcèle, maintenant, rétorqua-t-il d'une voix rauque.

À ces mots, Margot sentit son sang se glacer.

— Qu'est-ce que tu veux dire par là ? demanda-t-elle lentement.

Henry ne répondit pas. Il se contentait de balancer sa peluche d'avant en arrière. Un morceau de mousse tomba sur le sol.

— J'ai des cadeaux pour toi, Margot, dit-il enfin. Je crois que tu vas les aimer.

La silhouette disparut, s'enfonçant dans le couloir plongé dans la pénombre. Puis la jeune fille entendit la porte de Henry se fermer. Elle se leva pour aller refermer la sienne.

Avant la Nuit des Ombres, la vie n'avait rien d'amusant ; mais à présent, tout semblait lugubre à Margot. Au début, quand elle avait trouvé *Les Démoniaques*, le livre lui avait paru drôle et déjanté. À présent, il lui semblait qu'il émanait de ces pages quelque chose d'obscur, de l'ordre de la folie.

Jamais elle n'aurait dû l'emprunter.

Pourtant, rien de tout cela n'est vrai, se disait-elle. *C'est impossible...*

Elle entrevit un mouvement sur sa gauche... une araignée, qui descendait le long du mur. S'agissait-il de l'énorme bestiole marron moucheté qu'Alex avait lâchée dans sa chambre, l'autre soir ? Non, celle-ci semblait plus grosse encore. Si grosse que la peau bosselée de son abdomen charnu était tendue. D'épais crochets humides, couverts de venin, s'agitaient au centre de sa tête. Elle se rapprochait... Ses pattes hérissées de poils se levaient et s'abaissaient en ondulant, un mouvement qui soulevait le cœur de Margot. Huit minuscules yeux noirs, luisant dans la pénombre, étaient rivés sur elle. La jeune fille savait que ce qu'elle voyait n'était pas réel, quand, soudain, elle crut entendre la bête respirer...

Sa gorge se noua. Une terreur paralysante s'empara d'elle.

Quelque chose grattait et remuait derrière le conduit de ventilation, tout près du plafond. Elle leva aussitôt son regard dans cette direction et aperçut le bout d'innombrables pattes d'araignée qui dépassaient de la grille. Celle-ci grinça et parut bouger. L'araignée qui se trouvait sur le mur laissa échapper un sifflement. L'une des créatures dissimulées derrière la grille lui répondit de la même manière, puis une deuxième, puis une autre... Un son qui se multiplia tant et si bien que, très vite, un atroce chant rauque envahit la pièce. Soudain, la grille d'aération s'ouvrit et retomba bruyamment sur le sol.

Une marée de pattes velues et de crochets venimeux s'empressa de se déverser le long du mur et d'inonder le sol de la chambre, pareille à une substance noire, gluante, en ébullition.

Margot se précipita vers la porte, mais la poignée refusait de tourner. Désespérée, elle tira de toutes ses forces ; puis, voyant une araignée se faufiler à travers le trou de la serrure afin de s'en prendre à ses doigts, elle recula et se dirigea vers la fenêtre, où des dizaines de créatures velues avaient envahi le rebord et les rideaux.

Paniquée, elle essaya de se plonger sous ses couvertures, mais découvrit que son lit débordait d'araignées qui arrivaient de toutes parts – certaines descendaient du plafond en tourbillonnant le long de fils blancs et poisseux, d'autres sortaient des taies d'oreiller... Elle se rendit compte qu'elle poussait des hurlements, mais il lui semblait que ses cris, si perçants et incontrôlables, venaient de quelqu'un d'autre, d'un autre endroit. D'un endroit lointain, profondément dissimulé en elle et que, jusqu'à présent, elle n'avait jamais eu l'occasion de découvrir... Elle arracha la couverture de son lit, ce qui obligea les araignées à se disperser dans toutes les directions, et y enfouit son visage. Autour d'elle, le monde s'obscurcissait. Au beau milieu du chaos qui régnait dans la pièce, elle entendit quelqu'un crier son nom.

— Margot !

D'un geste brusque, on ôta la couverture sous laquelle elle se cachait. Elle leva les yeux et vit une araignée de la taille d'un homme qui se dressait au-dessus d'elle, debout sur quatre de ses pattes. Les quatre autres l'enserraient, agrippées à ses poignets et à ses coudes. Des poils froids et pointus comme des épines lui piquaient la peau. Les crochets de l'animal, suintants de venin, claquaient devant elle. Abasourdie, elle vit son visage hurlant en silence se refléter dans les yeux noirs et luisants de l'araignée. Celle-ci releva la tête, prête à frapper...

— MARGOT !

La jeune fille cligna des yeux et vit le visage écarlate de son père, contre lequel elle luttait, cherchant à se dégager de son étreinte. Elle recula d'un bond et arracha les draps de son lit, tout en bafouillant de façon incohérente. Elle secoua ses oreillers, vérifia sous le matelas, mais ne trouva rien. Trempée de sueur, toute tremblante, elle se tourna vers son père.

— Il y avait des araignées partout, chuchota-t-elle d'un ton cassant. Tu dois me croire, papa ! La grille du conduit d'aération a sauté et là, je te jure, des tonnes de bestioles se sont mises à grouiller autour de moi ! Je les ai même senties, elles étaient *sur* moi !

Thom Halloway jeta un coup d'œil au conduit. La grille était intacte.

— Je ne vois rien du tout, Margot. Tu étais en train de rêver. Mais tout va bien, maintenant... tu es réveillée.

La jeune fille se prit la tête entre les mains.

Henry entra dans la chambre en bâillant et en se frottant les yeux.

— Qu'est-ce qui se passe ?

— T'approche pas de moi ! hurla Margot.

Son père posa la main sur son épaule.

— Calme-toi, c'est seulement Henry.

— Les araignées... c'est lui ! Il les a obligées à m'attaquer !

Malgré sa terreur, elle se rendait compte de la naïveté de

ses accusations, et du fait que son père devait la prendre pour une folle.

— Elle va bien, papa ?

— SORS D'ICI ! cria-t-elle d'une voix stridente.

— Henry, dit doucement son père. Retourne te coucher, d'accord ?

L'enfant haussa les épaules et quitta la pièce. Margot sentit des larmes chaudes et piquantes se mettre à couler le long de ses joues. De petits sanglots s'échappaient de ses lèvres tremblotantes.

— Ça va aller, Margot. Tu vas voir, on va s'en sortir.

Elle fixait l'entrée de sa chambre et les mots d'Alex s'insinuèrent dans son esprit.

Henry m'a regardé dans les yeux et c'est comme s'il savait de quoi j'avais le plus peur. Je ne sais pas comment ça peut s'expliquer, mais il savait et il a réussi à réveiller mes terreurs de noyade.

— Tu as raison, répondit-elle en essuyant ses larmes. Ça va mieux, c'était juste un rêve.

Elle remonta dans son lit et son père lui donna un baiser sur le front.

Pourtant, des heures après son départ, elle n'arrivait toujours pas à dormir. Son esprit rationnel, envahi de doutes, luttait contre l'obsession grandissante qui venait de germer en elle.

10

Le matin de Noël, Margot essaya d'accepter de bonne grâce les vêtements et les bons d'achat que son père lui avait offerts, mais elle ne pouvait s'empêcher d'observer Henry. Ce dernier déchirait joyeusement les papiers cadeau qui enveloppaient ses présents, criant à qui mieux mieux combien il adorait tout ce qu'il découvrait. Leur père souriait, amusé par tant d'exubérance. Cela faisait bien longtemps que Margot ne l'avait pas vu afficher une mine aussi heureuse.

Cependant, elle redoutait l'instant où il leur faudrait prendre la route de Boston : là, un repas de langoustes les attendait au restaurant Faneuil Hall, où les Halloway avaient l'habitude de se rendre une fois l'an. Sauf que cette année, sa mère ne serait pas là. Margot aurait préféré qu'on lui arrache les ongles avec une pince plutôt que d'avoir à y aller. Surtout quand elle s'aperçut que son père avait enfilé son pull de Noël, une chose affreuse sur laquelle était collé un renne en velours.

— J'ai pas l'intention d'y aller, lui annonça-t-elle au moment de partir.

— C'est *Noël*, Margot. Tu viens avec nous, un point c'est tout.

Mais la jeune fille se dirigea vers la montée d'escaliers avec un air de défi.

— Salut, lança-t-elle sans même se retourner vers lui.

Alors qu'elle gravissait les marches, les hurlements qu'elle s'attendait à entendre ne vinrent pas. Son père ne lui dit rien. Il se contenta de faire claquer la porte derrière lui.

— Joyeux Noël, Margot ! avait crié Henry avant de sortir.

Elle s'approcha de la fenêtre et les vit grimper dans la voiture, qui recula dans l'allée. L'enfant leva les yeux vers elle et lui fit un signe de la main.

De retour dans le couloir, elle trouva des petits bouts de papier sur la moquette. Elle en ramassa quelques-uns : il s'agissait d'une photo qui avait été déchirée. La photo qui les montrait tous les quatre, à la fête foraine de Bottle Hill.

Henry l'avait déchirée exprès et avait laissé ces morceaux afin qu'elle les trouve.

Ses yeux se remplirent de larmes. Elle sentait que son petit frère était en train de s'éloigner d'elle. Qu'il lui échappait peu à peu ; et l'idée de le perdre lui était encore plus douloureuse que l'absence de leur mère. Celle-ci avait rempli un sac de voyage avant de partir de son plein gré. En revanche, Henry... c'était comme si on essayait de lui enlever Henry, qu'il disparaissait un peu plus chaque jour, à l'instar de quelqu'un qui est atteint d'une maladie incurable.

Elle s'habilla et, en moins de trois minutes, se retrouva dans la rue.

Peu après, Margot et Alex frappaient à la porte d'Eben. Il l'ouvrit au bout d'un moment, les yeux éblouis par l'éclat du soleil matinal.

— Désolée, dit Margot. Je sais que c'est le jour de Noël, mais on...

— Entrez. Le café sera bientôt prêt.

Avec son chapeau d'aviateur en cuir datant des années 1940, muni de longues oreillettes, Alex ressemblait à un chien limier. Le jeune homme jeta un coup d'œil à la robe de chambre défraîchie du libraire.

— Ça c'est de la sape, fit-il observer.

— Merci. Et ça, c'est du chapeau, rétorqua Eben.

— Un cadeau que j'ai eu pour Hanoukka[1]. J'ai raconté à mes vieux que je le mettais pour aller prendre le petit déjeuner traditionnel de Noël chez Margot. J'ai plus ou moins menti, c'est vrai, mais je me suis dit que de toute façon, on allait le prendre ici, le petit déjeuner.

— Estime-toi heureux de pouvoir au moins compter sur une tasse de mauvais café.

Tous trois étaient attablés dans la cuisine. Alex se servit une deuxième tasse de café. Margot ne connaissait personne qui s'ingurgite autant de caféine que son ami. Pas étonnant qu'il soit maigre comme un clou, qu'il ait toujours les nerfs en boule et tendance à transpirer facilement. Même en plein hiver. Mais la jeune fille supposait que le cerveau en constante ébullition d'Alex avait un besoin régulier de carburant.

— Très bien, dit le libraire. Je vous écoute, c'est quand vous voulez.

— D'abord, les araignées, commença Margot. On m'a tendu une embuscade.

— Des araignées ?

---

1. Fête juive des Lumières, célébrée pendant huit jours à partir du 25 du mois hébraïque de Kislev (novembre-décembre). La date de Noël étant proche, les deux fêtes sont parfois célébrée simultanément aux États-Unis.

— Pas des vraies, précisa Alex. Mais des hallucinations, grâce à Henry. Comme hier, quand il m'a suggéré que j'étais en train de me noyer.

— Ma chambre en était remplie. Il y en avait des milliers…

Eben les écoutait, la mine impassible.

— Et maintenant, tu crois que ton frère est devenu une Vore ?

— Je ne sais plus quoi penser, Eben. Ça peut sembler absurde, mais… j'ai l'impression de ne plus savoir qui est le gamin qui dort dans la chambre à côté de la mienne.

Le vieil homme, l'air soucieux, frotta son menton, qu'il n'avait pas encore rasé. Secoué par une quinte de toux, il posa la main sur la table afin de ne pas perdre l'équilibre.

— Mince alors, Eben !

— Ça paraît plus grave que ça l'est, affirma le libraire. Bon, examinons un instant la situation de façon rationnelle…

Alex sortit un épais classeur de son sac à dos et le posa lourdement sur la table.

— Qu'est-ce que tu nous as amené ? demanda Eben.

D'un grand geste de la main, le jeune homme ouvrit le classeur. Ses compagnons virent apparaître une reproduction imprimée de la page de titre manuscrite des *Démoniaques*.

— Tu en as fait une copie ? chuchota Margot. Quand ça ?

— Je l'ai scannée sur mon ordinateur le soir où je te l'ai emprunté. Je m'étais dit que je pourrais peut-être faire des recherches sur les symboles et les autres trucs…

— Décidément, vous n'avez pas pu vous empêcher de vous en mêler, tous les deux ! lança Eben d'un ton sec.

— Margot n'y est pour rien, elle n'était pas au courant. Si vous voulez être en rogne contre moi, n'hésitez pas. Mais il faut qu'on trouve d'où vient ce journal.

— Et tu comptes t'y prendre comment ? C'est un simple manuscrit. Il n'y a aucune information sur la publication, ni copyright, ni numéro d'enregistrement à la Bibliothèque du Congrès[1]...

Alex feuilletait le classeur.

— Nous l'avons lu de bout en bout, sans sauter un seul passage. On va forcément y découvrir quelque chose, un indice qui nous mènera quelque part... ajouta-t-il en rouvrant le journal à la première page et en agitant sa tasse vide. En revanche, j'ai besoin de carburant...

Alex avait déjà lu la moitié du journal et il avait perdu le compte du nombre de tasses de café qu'il avait bues. Eben lisait un de ses manuels de psychologie traitant de la démence hallucinatoire, tandis que Margot dormait dans un fauteuil à haut dossier, un léger fil de salive à la commissure des lèvres.

Les yeux du jeune homme couraient d'une page à l'autre.

— Écoutez ça, dit-il. « *Je sais tout, et elles le savent. Aussi, elles me tourmentent. Elles m'obligent à vivre des cauchemars. Je me trouve au marché et, l'instant d'après, je m'enfonce dans des sables mouvants. Je hurle et me débats. Et les êtres humains qui m'entourent ne font rien. Ils se contentent de m'observer. De me fixer et de murmurer que Macie est atteinte de folie.* » Macie. C'est elle, l'auteure du journal. Et ce qu'elle décrit là nous est arrivé à nous aussi. Les Vores perçoivent nos

---

1. Équivalent américain de la Bibliothèque nationale de France.

peurs et elles forcent nos esprits à les revivre, comme s'il s'agissait de cauchemars éveillés.

— Ou bien, inconsciemment, tu te souviens d'avoir déjà lu ce passage, et cela influence ta capacité à distinguer la réalité de l'illusion, fit remarquer Eben.

— J'en sais rien, intervint Margot en se frottant les yeux et en s'essuyant la bouche.

Alex continua de feuilleter le livre.

— J'ai peut-être trouvé quelque chose… dit-il en pointant le doigt sur une page. « *12 mai 1972. J'ai rendu visite à Pa et à Ma. J'ai apporté un bouquet de marguerites à Ma et leur ai dit que Jeremy était de plus en plus malade.* »

— Et alors ? Elle va voir ses parents… qu'est-ce que ça nous apprend ?

— Attendez, écoutez la suite. « *Ils ont un nouveau voisin. Un garçon que j'ai connu il y a des années, à l'école. De la mauvaise graine. Condamné pour avoir incendié l'église Saint-Luc, en 1954, alors que le père Moore et des enfants se trouvaient à l'intérieur. J'ai toujours pensé qu'il était une Vore.* »

Puis Alex revint au prologue.

— Et là, sur la première page, la nuit où les Vores ont attaqué Jeremy, elle parle de leurs parents : « *C'était toujours ainsi quand il se mettait à boire. Je savais que depuis la disparition de Ma, une part de lui était morte avec elle.* »

Le jeune homme se leva.

— Vous avez compris ? Leur mère était *déjà* morte, alors que Macie n'avait pas encore commencé à écrire son journal.

— Va droit au but, rétorqua Margot.

Elle jeta un coup d'œil à Eben. Le vieux libraire semblait perdu dans ses pensées.

Alex se mit à marcher de long en large.

— Elle dit qu'elle a apporté des fleurs à sa mère. Mais elle parle d'un cimetière ! C'est à leurs *tombes* qu'elle est allée rendre visite !

— Et alors ? demanda Margot.

Mais Eben hochait lentement la tête.

— Nous avons trouvé une date. Le 12 mai 1972. Elle parle aussi d'un événement particulier, survenu moins de vingt ans plus tôt : l'incendie d'une église. On trouvera sans aucun doute ce fait divers, le nom du tueur et celui de sa ville natale à la bibliothèque ou sur Internet.

— Et comme il est enterré à côté des parents de Macie… conclut Margot.

Alex prit place devant l'ordinateur d'Eben.

— Et sur leurs pierres tombales, il y aura le nom de famille de Macie… Peut-être qu'on trouvera une adresse ! lança le jeune homme tout en tapotant sur le clavier.

— Pas si vite, Alex, l'avertit Eben. Même si tu trouves une adresse, cela ne veut pas dire que la sœur de Jeremy y vit encore.

— Mais c'est un début. Et j'ai l'impression que ça ne doit pas être bien loin.

— Tu as probablement raison, répondit le libraire. Mais qu'espères-tu trouver au juste ? Tu ne sais même pas si elle est encore en vie, ou si elle n'est pas devenue, au fil des années, plus folle qu'elle l'était déjà.

— « *La folie chez les grands ne doit pas aller sans surveillance*[1] », rétorqua Alex, dont les doigts tapotaient à toute allure.

— Ne t'avise plus de me citer du Shakespeare, jeune

1. « *Madness in great ones must not unwatched go* », Claudius, dans *Hamlet* de Shakespeare (1604), acte 3, scène 1, l, 191.

homme. Cela n'a rien à voir : tu parles de pourchasser des monstres.

Margot, qui n'avait rien dit jusqu'à présent, prit la parole :

— Je ne sais pas si je crois aux monstres, Eben. Tout ce que je sais, c'est qu'un truc ne tourne vraiment pas rond chez Henry. Et j'ai très peur pour lui. Je serais contente de prouver que les Vores n'existent pas, et que c'est seulement une crise de folie passagère que subit mon petit frère. Mais si ce n'est pas le cas...

— Vous voulez vous rendre sur la tombe d'un meurtrier le jour de Noël ? s'enquit Eben.

Les deux jeunes gens le dévisageaient, avec l'air d'attendre quelque chose.

— Non, reprit le libraire. Je sais parfaitement ce que vous avez en tête. C'est hors de question, ajouta-t-il d'un ton catégorique.

— Je pourrais demander à Quinn de nous y emmener, suggéra Margot. Ça serait plutôt bizarre pour un premier rencart, mais comme il dit qu'il veut passer un peu de temps avec moi... Sinon, on pourrait faire de l'autostop.

La jeune fille regardait Eben, qui soupira.

— D'accord, Margot, concéda-t-il en attrapant son manteau. Mais j'ai une volaille à faire rôtir pour ce soir. Aussi, faisons en sorte que ces stupides recherches ne s'éternisent pas.

11

Partis dans la vieille Cadillac d'Eben, ils arrivèrent à destination en un peu moins d'une heure. Grâce à ses recherches en ligne, Alex avait trouvé de précieuses informations portant sur l'affaire Garney, et sur le trajet, Margot avait pris connaissance des documents imprimés par son ami.

Le 2 février 1954, un dénommé Joseph Garney avait mis le feu à une église de campagne. Le prêtre et les cinq enfants qui y suivaient des cours de catéchisme étaient restés piégés dans le bâtiment incendié. Le criminel était mort en prison, dix-huit ans plus tard. Son cercueil, une simple boîte de pin, avait été renvoyé dans sa ville natale, Fredericks, une bourgade rurale située au pied des montagnes du Berkshire[1].

Durant le court trajet, une étincelle d'espoir avait soudain animé la jeune fille. Et quand ils s'arrêtèrent à la station essence de la ville et apprirent que Fredericks ne possédait qu'un seul cimetière, cette étincelle se fit plus vivace encore.

Quand ils trouvèrent l'endroit et que la voiture passa les grilles ouvertes du cimetière, Eben fut soudain prit d'une nouvelle quinte de toux – une toux sèche et douloureuse

1. Région située dans l'État du Massachusetts.

qui l'obligea à se garer sur le bas-côté du chemin cahoteux. Les pentes étaient parsemées de pierres tombales et quelques mausolées sinistres se dressaient sur les hauteurs.

— Est-ce que ça va ? demanda Margot en tapotant gentiment le dos du libraire.

— Oui, oui, bien.

— Reste au chaud. On revient dans cinq minutes.

Eben, qui tenait son mouchoir blanc devant sa bouche, se contenta d'acquiescer.

Margot et Alex sortirent de la voiture et observèrent les alentours.

— Commence par la rangée du haut, dit la jeune fille. Je vais prendre celle du bas et te rejoindrai.

— D'accord. Joseph Garney, chuchota-t-il. On va le trouver.

La neige boueuse accrochait sous les semelles des bottes de Margot, qui crissaient à chaque pas.

Louise Wilkes. Hollis Johnson. Charlotte Mundt…

Elle continua d'avancer, avec l'impression d'empiéter sur le territoire des morts ; elle imaginait des créatures à la peau desséchée et aux chairs en décomposition grouillant sous ses pieds.

… Hugo Branz. Katherine Stahl. Miriam Lubowski…

Il y avait tant de tombes. Tant de stèles funéraires…

… Simon Hastings. Bette Youmans. Fiona O'Connell…

C'est ce qui attend chacun de nous, songea la jeune fille.

… À mon père bien-aimé, À ma tendre épouse, À notre cher fils…

Était-il possible que Henry soit déjà mort ? S'il ne se trouvait plus dans son corps, où donc était-il ? Les Vores l'avaient-elles emmené quelque part ?

En frissonnant, Margot s'agenouilla devant une petite

pierre tombale sale et couverte de givre, que rien ne distinguait des autres. Elle frotta la pierre et découvrit l'épitaphe :

Que Dieu lui pardonne
Joseph Garney, 1935-1972

— Alex ! Viens vite !

Le jeune homme s'empressa de descendre la pente afin de rejoindre son amie, qui avait commencé de déblayer la neige qui recouvrait la pierre tombale voisine. Le temps qu'Alex arrive, elle avait déjà pu lire le nom qui s'y trouvait :

Joanna Canfield
1901-1929
À notre mère bien-aimée

Le jeune homme gratta la neige de la stèle la plus proche et découvrit le nom de Joshua Canfield, mort et enterré une décennie après son épouse.

— Les Canfield... Il doit s'agir des parents de Macie, pas vrai ?

Margot acquiesça.

— Macie Canfield, oui. Nous la tenons.

— Il ne nous reste plus qu'à la retrouver, répondit Alex en posant la main sur l'épaule de son amie.

Quand ils revinrent à la voiture, Eben leur parut fatigué, mais sa toux s'était calmée. Ils lui firent part de leur découverte. Le vieux libraire sourit.

— Maintenant, on peut partir à sa recherche ! s'exclama Alex. On a seulement besoin de...

— Pas aujourd'hui. Demain.

— Mais… on est si près du but ! On a seulement besoin de…

— Écoute, Alex, l'interrompit de nouveau Eben. C'est *Noël*. Tout est fermé. Les bibliothèques, les bureaux de poste, les palais de justice…

— Bon, d'accord. Demain.

12

Tôt le lendemain matin, le père de Margot ne lui hurla pas dessus. À dire vrai, il ne lui adressa pas la parole. Il refusa même de la regarder quand ils se croisèrent dans la cuisine. La tristesse que ce silence dégageait était insupportable à la jeune fille. Elle aurait tant voulu prendre ses mains entre les siennes, tout lui raconter et faire en sorte qu'il sache la vérité. Mais elle se doutait que cela n'arrangerait rien. Et puis, Margot avait l'impression d'être invisible aux yeux de son père.

Pour l'instant, elle devait d'abord s'occuper de Henry.

Elle attrapa un petit pain, un jus d'orange, et se rendit à pied chez Alex. La matinée fut occupée à parcourir Internet en long et en large, mais ce qu'ils y trouvèrent leur offrit peu d'indices. À midi, Eben les conduisit de nouveau jusqu'à Fredericks. Au palais de justice, ils apprirent que les rapports du cadastre n'avaient pas encore été informatisés et que le désordre régnait dans les archives disponibles.

Finalement, ils obtinrent une adresse en rendant visite au receveur des postes. Cependant, quand Eben tâcha d'en savoir plus sur la propriété des Canfield, l'homme lui lança un regard bizarre et lui expliqua que plus aucun courrier n'y était distribué depuis des années.

Se comportant comme un gamin à qui on a promis

d'aller à la plage, Alex bondissait sur le siège arrière de la Cadillac. En revanche, Margot et Eben affichaient une mine sérieuse.

À Fredericks, peu de rues avaient de plaque indiquant leur nom. Ainsi, ils passèrent près d'une bonne heure à aller et venir, à la recherche des boîtes aux lettres ou des chênes aux branches en forme de fourche dont le receveur des postes leur avait parlé.

Ils finirent par arriver sur une route déserte, en bordure de la ville. Un lieu en proie au froid, malgré la température confortable qui régnait dans la voiture d'Eben. La forêt hivernale paraissait monochrome, noir sur blanc, comme si couleur et chaleur avaient été éradiquées de la surface de la terre. Eben fut secoué d'une toux grasse.

— Tu as vraiment l'air mal en point, constata Margot.

— Cette chose me tombe dessus chaque hiver. Ça dure une semaine et puis ça passe, répondit le vieil homme en sortant son mouchoir pour essuyer son nez rougi. Ne t'inquiète pas pour moi.

Tandis qu'ils avançaient sur la route forestière, la chaussée défoncée se transforma en boue verglacée. De la neige s'était amoncelée en plusieurs endroits du chemin glissant, mais Eben roulait de manière experte, conduisant sa Cadillac aussi habilement qu'un professionnel du volant. Plus ils progressaient, plus la forêt était dense, le sous-bois plus épineux et touffu. Le ciel blanc et vide semblait suspendu au-dessus des arbres. Ils avaient l'impression de se diriger vers le *bout* de quelque chose.

Soudain, ils débouchèrent dans une clairière. Cet espace à découvert, au beau milieu des bois, leur sembla étrange, comme si la chute d'un météorite y avait formé un cratère ou que l'endroit avait été victime d'une fuite de produits toxiques. En contrebas du chemin, ils aperçurent une vieille maison délabrée, au milieu d'une pente qui menait à des hectares de champs plats enfouis sous la neige. Les bardeaux en cèdre de la bâtisse étaient fendillés et auraient pu faire penser à une peau marbrée d'excroissances rongées par la pourriture, semblables à des lésions. La partie supérieure de la cheminée s'était effondrée et ses pierres jonchaient la butte.

Eben coupa le moteur.

— N'oubliez pas : si quelqu'un habite ici, vous me laissez parler, d'accord ?

Margot acquiesça et tous trois sortirent de la voiture.

Le silence était total. Autour d'eux, aucun gazouillis d'oiseau, ni aboiement de chien, ni aucun autre cri d'animal. Une boîte aux lettres en métal en forme de grange, à demi couverte de givre, gisait au bord de la route. Toutes les lettres du nom s'étaient décollées, mais on devinait encore leur contour : M. CANFIELD.

— J'imagine qu'on est à la bonne adresse, dit Margot.

Elle souleva la petite porte et vérifia le contenu de la boîte. Vide.

Ils s'engagèrent dans la pente et s'arrêtèrent sous la véranda qui tombait en ruine. Un carillon rouillé pendait du plafond, silencieux et sans vie dans l'air immobile. Quatre mangeoires à oiseaux vides étaient accrochées à l'avant-toit. D'un petit mouvement de la main, Alex en fit bouger une. Elle oscilla en grinçant au bout du fil de fer qui la retenait.

— Y'a quelqu'un qui aime les oiseaux, ici.

Margot jeta un coup d'œil par une des fenêtres. Les rideaux étaient usés mais trop opaques pour qu'elle puisse distinguer autre chose que les contours de quelques objets.

Eben frappa à la porte. Rien ne bougea à l'intérieur. Margot frappa plus fort et tourna la poignée, mais elle était verrouillée de l'intérieur.

— Hum... dit Eben en s'éclaircissant la gorge. Que fais-tu ? Pénétrer sur une propriété privée est une chose, mais essayer d'entrer en forçant une porte en est une autre. Tu ne vas pas casser cette poignée, tout de même ?

Alex désigna la vitre, qui était fendue en son centre.

— Il me semble que cette porte est déjà cassée...

Il ôta son écharpe et l'enroula autour de son poing.

— Alex... ! s'écria Eben. Non...

Le jeune homme donna un bon coup dans la fenêtre. Margot se tourna vers le vieux libraire.

— Je sais que ça ne te plaît pas. Mais je dois faire tout ce que je peux pour aider Henry, rien d'autre ne compte.

— Ce n'est plus une simple enquête, Margot, répliqua Eben en secouant la tête. Mais un cambriolage.

— Et Henry est mon petit frère. Le moindre petit indice pourrait nous être précieux.

Alex passa la main de l'autre côté du carreau brisé, s'empara de la poignée et la tourna.

Tous les trois entrèrent dans la maison, un véritable paradis pour les toiles d'araignée. Des relents fétides, comme une odeur de mort, les accueillirent.

— Bon sang... murmura Alex.

— Hou hou ! brailla Margot. Y'a quelqu'un ?

Le jeune homme appuya sur l'interrupteur. Sans résultat.

Les fenêtres aux vitres crasseuses laissaient entrer une lumière pâle dans la maison. Sur leur droite, une petite cuisine était jonchée de boîtes de conserve rouillées – il y en avait partout, sur la table, sur le sol, entassées dans l'évier. Le réfrigérateur et le poêle étaient des antiquités, le genre d'appareils ménagers si anciens qu'il aurait fallu disposer d'une grue pour les déplacer ou d'un boulet de démolition pour s'en débarrasser.

— Une véritable obsédée du rangement... cette Macie Canfield, fit observer le jeune homme, en ramassant une boîte qu'il dépoussiéra afin de lire l'étiquette. Des pêches au sirop...

Eben dirigea sa lampe de poche vers une pièce qui avait tout l'air d'être une salle à manger. Quelques gros sacs étaient empilés sur la table. Il s'en approcha.

— Qu'est-ce qu'il y a au menu ? lança Margot.

— Du ciment, répondit-il. À croire que mademoiselle Canfield n'a jamais trouvé le temps de réparer sa cheminée...

À côté d'un canapé en décomposition, la jeune fille venait de trouver un filet à papillon en lambeaux ; elle en ôta une plume.

Alex entra dans la pièce, une batte de baseball en bois à la main. Il fit mine de frapper une balle.

— Eben, éclairez-moi ce truc.

La surface de la batte était couverte d'une croûte d'un brun rougeâtre.

— Regardez-moi ça... qu'est-ce que ça peut bien être ? demanda le jeune homme.

Margot s'avança vers la pièce qui faisait face à la salle à manger et s'arrêta sur le seuil. À ses pieds, gisaient les restes desséchés d'un oiseau, dont les plumes avaient dû être bleues.

— C'est dégueu.

— Il a dû arriver par le conduit de cheminée et n'a pas pu ressortir, suggéra Alex.

Dans cette pièce, la lumière était beaucoup plus faible. Margot avança à tâtons. Elle sentit quelque chose de sec et de friable craquer sous ses pieds. Elle fit un autre pas. Le bout de sa basket heurta un tas de petites choses qui se répandirent de tous côtés.

— Eben... j'ai marché sur un truc...

Le libraire dirigea sa lampe vers la pièce où elle se trouvait.

— Non, c'est pas vrai... chuchota la jeune fille.

Des centaines de petits os jonchaient le sol. Alex se pencha et ramassa une minuscule cage thoracique.

Eben promena le faisceau de sa lampe autour d'eux.

À l'autre bout de la pièce, ils aperçurent une montagne de plumes de toutes les tailles et de toutes les couleurs. Il y en avait assez pour remplir des dizaines de sacs poubelle.

— Des oiseaux, constata Alex.

Il se dirigea vers les plumes. Les os crissèrent sous ses pas.

— Je ne pense pas qu'ils soient tous arrivés par la cheminée...

— D'après moi, on les a appâtés avec les mangeoires, dit Eben. On les a attrapés avec le filet à papillon...

— Avant de les tuer d'un coup de batte de baseball, acheva Alex.

— Mais... pour quelle raison ? demanda Margot. Un rituel permettant aux Vores de se défendre ?

— Possible, répondit Alex en prenant une plume qu'il fit tournoyer entre ses doigts. Ou bien... elle les a peut-être mangés, tout simplement.

— Pouah, c'est carrément grave, remarqua Margot.

— Elle était à court de pêches au sirop…

— Il y a pourtant des supermarchés à moins d'un quart d'heure d'ici.

— Macie raconte qu'elle avait trop peur de quitter sa maison, tu te souviens ?

Ils entreprirent de fouiller l'endroit sans trop perdre de temps. Ils ouvrirent chaque tiroir, chaque placard. Cherchèrent derrière chaque coussin. Dans la chambre, ils découvrirent un matelas souillé qui devait remonter à la préhistoire. Eben n'était pas favorable à ce qu'ils le touchent, mais Margot prêta un gant à Alex et tous deux le soulevèrent et le tirèrent du sommier. Pourtant, ils ne trouvèrent rien sous le lit.

De retour dans le séjour, Eben écarta l'un des rideaux moisis et observa le ciel qui s'obscurcissait.

— Il va bientôt faire nuit, et nous avons quand même un peu de route devant nous.

— Il y a sûrement autre chose à trouver que des squelettes d'oiseaux ! s'écria Margot en donnant un coup de pied dans un tas d'ossements.

Alex désigna le sol.

— Regardez !

Enchâssé dans le plancher, il y avait en effet un objet qui luisait comme du très vieux métal terni. Eben se pencha pour l'examiner de plus près.

— C'est un gond.

Margot et Alex écartèrent les os du pied, et furent pris d'une toux rauque quand la poussière envahit leurs poumons. Après avoir dégagé quelques mètres carrés, ils découvrirent une trappe à charnières, dans laquelle était encastré un anneau qui servait de poignée.

Ils la fixèrent en silence.

— Une cave, dit la jeune fille en se courbant afin d'attraper la poignée.

— Attends, lui dit Eben.

Il repartit vers la cuisine et revint avec la batte de baseball. Il la tendit à Alex puis attrapa l'anneau et tira, montrant une force que Margot n'avait jamais eu l'occasion de remarquer. La trappe s'ouvrit sur un escalier de bois plongé dans le noir, d'où s'échappa un souffle d'air gémissant – comme si la pièce du dessous avait retenu sa respiration durant des années.

— Comment as-tu réussi à soulever cette trappe ? demanda Margot.

— La plupart des gens se fie à ma canne, sans se douter que je conserve encore quelques forces, expliqua Eben.

La jeune fille prit la lampe de poche et s'engagea dans l'escalier. Chaque marche grinçait sous son poids, donnant l'impression de s'opposer à cette intrusion. L'air fétide avait une odeur de tombeau et l'obscurité une épaisseur étrange. Quand elle atteignit le bas, le faisceau de sa lampe lui parut plus faible, presque mourant.

Alex et Eben suivirent Margot et la rejoignirent au milieu d'une pièce quasiment vide : ni cartons ni souvenirs entassés sur le sol de terre battue, ni vieilles malles remplies de lettres ou de manuscrits. Il n'y avait qu'une chaise en bois contre le mur du fond, un manteau miteux posé sur son dossier, et, dans un coin, une baignoire en métal.

— Rien. Absolument rien, constata Margot.

— Je suis désolé, mais qu'espérais-tu trouver ? demanda Eben. Macie Canfield avait l'esprit dérangé, c'est tout. Les Vores étaient un produit de son imagination, il faut que tu acceptes cette idée.

Margot demeura silencieuse. Son vieil ami avait raison.

Comment avait-elle pu croire ne serait-ce qu'un instant que ces créatures dignes d'un livre d'épouvante existaient bel et bien ? Peut-être était-elle en train de sombrer dans la folie ?

— Passe-moi la lampe une seconde, dit Alex.

Margot la lui tendit. Il traversa la pièce, se pencha au-dessus de la baignoire et passa la main derrière. Il se releva, une truelle à la main.

— La baignoire est pleine de béton qui a durci. Qu'est-ce qu'elle a cherché à faire, d'après vous ?

— Tu parles d'une femme qui jouait au baseball avec des oiseaux, qui les mangeait et qui se servait de leurs squelettes pour décorer sa maison, rétorqua Margot. Plutôt du genre à prendre des décisions absurdes ou illogiques, pas vrai ?

— Oui, bien sûr. Mais même les malades mentaux ont leurs raisons.

Il reprit son inspection des lieux, tandis qu'Eben s'emmitouflait davantage dans son manteau.

— Il fait de plus en plus froid, dans cette cave, fit-il observer en soufflant sur ses mains. Alex ? Peux-tu me dire ce que tu fais, au juste ?

Le jeune homme se redressa et dirigea sa lampe vers le mur, à hauteur d'yeux. Il toucha la paroi et déplaça ses doigts en ligne droite, puis la tapota.

— Venez voir.

Margot s'approcha. Alex tapota de nouveau contre le mur.

— Ça sonne creux, on dirait, constata la jeune fille.

— Oui. À cet endroit, le mur ne fait pas plus de dix centimètres d'épaisseur, je crois. Et cette partie, là, dit-il en indiquant une zone de cinq centimètres carrés, est plus fine. Comme si on avait cherché à reboucher un trou. Tiens, prends ça, dit-il en tendant la lampe à son amie.

Puis, sans prévenir, il souleva la batte de baseball et la fit retomber contre la paroi. Une fissure apparut au milieu de la partie qui avait été colmatée. Il frappa plusieurs fois de suite, cognant de plus en plus violemment.

— Ça va céder, je le sens !

Le béton s'effrita et tomba sur le sol, dévoilant un large trou dans la paroi. Margot leva la lampe et tous trois s'approchèrent pour jeter un coup d'œil à l'intérieur.

Quinze centimètres les séparaient d'un autre mur, couvert de poussière.

— Une autre paroi, s'étonna la jeune fille.

Elle promena le faisceau de la lampe de haut en bas. Aux endroits où la couche de poussière était moins épaisse, la lumière paraissait se refléter dans le mur.

— C'est du verre, fit observer Alex.

— Une fenêtre ? demanda Margot.

Elle tendit la main et frotta le mur poussiéreux. Apparurent des panneaux de verre sur lesquels était gravé tout un ensemble alambiqué de fines lignes argentées, entrelacées à des inscriptions indéchiffrables. Elle y dirigea la lampe.

Alex poussa un cri et recula d'un bond. Eben, le souffle coupé, fut aussitôt saisi d'une autre quinte de toux.

Margot ne prononça pas un mot. Une terreur glaciale l'avait envahie, mais elle ne se détourna pas de ce qui se présentait à elle. C'était pour cette raison qu'elle était venue.

Elle contemplait une autre pièce, deux fois plus petite que celle dans laquelle ils se trouvaient. Elle reconnut, en plus grand format, certains des symboles vus dans le journal de Macie ; dessinés à la craie, ils couvraient les murs et le sol. À moins de deux mètres de la cloison de verre, un homme était assis dans un fauteuil à bascule. Il portait un costume de flanelle en haillons et des chaussures de bonne facture. De la corde solide le maintenait attaché à la chaise aux poignets et aux chevilles. Une Bible poussiéreuse était posée sur ses genoux, et le peu qui restait de sa chair décomposée, en lambeaux, collait à son squelette. Sa mâchoire pendait, grand ouverte, évoquant un rictus ou ce qui avait dû être son dernier cri d'agonie.

Eben et Alex regardèrent par-dessus l'épaule de Margot.

— *In pace requiescat*, marmonna le libraire. Repose en paix.

— Bon sang, dit enfin la jeune fille, on se croirait dans l'histoire de Poe, « La Barrique d'Amontillado[1] ». Sauf que là, c'est pour de vrai...

— Oui, comme avec cette femme qu'on a retrouvée pendue à un crochet de boucherie dans ta librairie, Eben.

— Non, ça n'est pas pareil. Lui, quelqu'un l'a mis là de son vivant, chuchota Margot. Avant de l'attacher à la chaise et de sceller la pièce.

— Tout en aménageant une fenêtre afin de s'asseoir face à lui et de le regarder mourir, ajouta Alex.

— Toute cette histoire est déjà allée trop loin, déclara Eben. Partons d'ici. Il ne s'agit plus d'un jeu.

La jeune fille se déplaça légèrement ; son angle de vision se modifia et la lampe éclaira le cadavre différemment, laissant apparaître un objet brillant qu'elle n'avait pas encore remarqué.

— Alex, approche-toi. Regarde.

— Pas question !

1. « The Cask of Amontillado », nouvelle d'Edgar Alan Poe (1846), s'achève sur l'expression « *In pace requiescat!* » (« Repose en paix ! »).

— Bon sang de bois ! Il est mort ! Il est même plus que mort, c'est un squelette !

Alex se pencha vers la vitre en grommelant.

— Regarde, lui dit son amie.

— Margot, j'ai déjà…

— Regarde son torse.

Le jeune homme plissa les yeux. Accroché à une chaîne, un médaillon d'argent pendait sur la poitrine du cadavre. On y voyait un homme barbu, une flèche à la main.

Une médaille de saint Gilles.

Les lèvres d'Alex s'entrouvrirent, mais il ne dit rien.

— À présent, nous savons ce qu'est devenu Jeremy, dit Margot.

— Comment sais-tu que c'est lui ? demanda Eben.

— La médaille. Il ne l'enlevait jamais.

Le vieux libraire fronça les sourcils.

— Ce n'est pas parce que ce pauvre homme portait un bijou religieux que…

Alex, désignant brusquement la vitre qui les séparait du cadavre, l'interrompit.

— Arrête un peu, Eben ! Quand vas-tu te décider à nous croire ? Cette maison appartenait à Macie Canfield ! Jeremy était son frère ! Les Vores ont réussi à s'emparer de lui : elle était là, elle a assisté à la transformation. Tout est noté dans son journal !

— Tu ne devrais pas croire si facilement tout ce qu'elle a écrit, répliqua Eben. Après tout, nous ne l'avons pas connue. Cet homme est peut-être mort à cause des hallucinations de Macie. Et il est possible que tu t'apprêtes à devenir aussi fou qu'elle.

— Margot, dis-lui que… Margot !

La jeune fille, les yeux toujours rivés sur la pièce scellée, crut voir quelque chose flotter au-dessus du corps, tout près du plafond. Une ombre semblait se déplacer… mais quand elle braqua son regard sur l'endroit, tout se dissipa aussitôt, comme de la vapeur emportée par le vent.

— Il y a autre chose, là-dedans, murmura-t-elle.

Elle dirigea la lampe de poche vers le plafond.

L'ombre s'obscurcit.

— On dirait de la fumée, dit Alex. Non… attends. Tu ne crois pas que c'est…

Noire et vaporeuse, plus épaisse et plus dense que la nuit, l'ombre se lova sur elle-même, pareille à du papier en train de se consumer. Margot, Alex et Eben la virent se transformer en nuage trouble qui s'assombrissait de plus en plus.

— Écarte-toi de la vitre, Margot, chuchota Eben d'un ton pressant. Sans attendre.

— Est-ce que… euh… tu crois que ça pourrait être l'une d'elles ? Cette chose qui était dans le champ avec Jeremy ? demanda Alex.

Dans sa main, la batte de baseball tremblait.

— Elle ne peut pas sortir, dit la jeune fille. Macie l'a emprisonnée. Elle y est arrivée. Elle a attrapé la créature monstrueuse qui lui avait pris son frère.

— Personne ne sait de quoi cette chose est capable, l'avertit Eben. Recule-toi, maintenant, je t'en prie.

Alex fit un pas en arrière.

— Allez, Margot, viens, lança-t-il d'une voix chevrotante.

Il la tira par la manche, mais elle se dégagea d'un geste brusque. Elle ne parvenait pas à détacher son regard de la fumée tourbillonnante qui ne cessait d'onduler, comme dotée d'une volonté malsaine, d'un souffle trop sombre et trop froid pour qu'on puisse comparer cette chose à un organisme vivant.

Alex lâcha la batte de baseball, qui tomba avec fracas sur le sol.

— Non... je peux pas... je... marmonna-t-il tout en reculant.

Arrivé au pied de l'escalier, il trébucha, puis gravit les marches à toute allure, comme l'aurait fait un animal en fuite.

Margot sentait son corps se faire aussi lourd que du plomb. Eben lui toucha la main.

— Margot, écarte-toi de cette vitre.

— Non.

Les yeux rivés sur la pièce, elle entendit Alex marcher à l'étage du dessus ; ses pas qui écrasaient des squelettes d'oiseaux, puis qui se ruaient dans le salon.

— Margot... la supplia Eben.

— Attends, il va se passer quelque chose.

Le nuage de vapeur fumait et bouillonnait au-dessus du cadavre, donnant l'impression d'avaler le faisceau lumineux de la lampe de poche et de le dévorer.

— Margot, je...

— Va rejoindre Alex ! Moi, je reste !

Le fauteuil se mit à se balancer et le crâne de Jeremy oscilla d'avant en arrière sur son cou squelettique, paraissant dodeliner de la tête dans la direction de la jeune fille, comme pour lui dire : *Oui, ce que tu vois est réel*.

Soudain, la nuque se cassa net et le crâne roula sur le torse, rebondit sur un genou et s'écrasa sur le sol, où il vola en éclats.

Un visage en relief émergea de la masse de vapeur. Ses traits fondirent, se reformèrent puis prirent l'aspect d'un petit garçon triste. Une voix s'en éleva, semblable à un bruissement de feuilles.

— *Laisse-moi dévorer ta peur...*

Un long frisson glacial traversa le corps de Margot. La nausée s'empara d'elle.

Le visage du garçon se tordit, jusqu'à afficher une expression inhumaine, perverse et impitoyable. L'orifice qui lui tenait lieu de bouche s'ouvrit. Des rubans de fumée s'en échappèrent, pareils à des vipères, et une voix grave s'adressa à la jeune fille.

— *Laisse... moi... sortir.*

Des vibrations parcoururent la pièce, chargées de haine et de folie. Vacillant sur ses jambes, Margot serra la mâchoire.

— Est-ce que tu as senti ça, Eben ?

— Oui. Je...

Il se mit à tousser. Il s'éclaircit la gorge, essaya de reprendre sa respiration mais se pencha en avant, le souffle coupé.

— Eben !

Un autre spasme, plus violent que le précédent, obligea le vieil homme à s'accroupir. Margot lâcha la lampe et s'agenouilla devant lui. Elle l'attrapa par les épaules.

— Respire !

La quinte de toux se calma et il put inspirer un peu d'air.

— Ça va aller, dit-il en relevant la tête.

Un filet de sang s'écoulait à la commissure de ses lèvres.

— Eben... que t'arrive-t-il... ?

Il porta la main à son visage. À la vue de ses doigts écarlates, il blêmit. Il essaya de nouveau d'inspirer, mais l'air s'engouffra à peine dans ses poumons.

— Oh non…

Une nouvelle quinte de toux le saisit, saccadée et déchirante, et un torrent de sang jaillit de sa bouche, éclaboussant sa chemise et le sol.

Margot poussa un hurlement perçant.

Eben, haletant, continuait d'avoir des haut-le-cœur ; il chancela, tandis que son corps se raidissait, avant de se plier de nouveau en deux.

La jeune fille se tenait devant lui, paralysée, sous le choc.

Quelque chose l'attrapa par les épaules et l'obligea à se retourner.

— Margot ! cria Eben. Est-ce que tu m'entends ?

Elle cligna rapidement des yeux et aperçut son vieil ami, debout devant elle. Plus une seule trace de sang sur lui.

Ça n'avait été qu'un cauchemar.

Un cauchemar éveillé, créé de toutes pièces par la Vore.

— On quitte cet endroit… tout de suite, insista Eben.

Margot avait l'impression qu'on venait de… *violer* son intimité.

Derrière la vitre, la créature l'observait, le visage vaporeux. La jeune fille décelait une réelle intelligence dans ce regard. Venimeuse, malfaisante. Cruelle. Une ébauche de sourire s'afficha sur les lèvres de la Vore. Celle-ci avait deviné les peurs de Margot, les avaient explorées, et venait d'en mettre une en scène, par le biais d'une hallucination. Les yeux de la créature luisaient, remplis de haine.

Le visage s'affaissa, comme si son ossature s'effondrait. La Vore tout entière se mit à tournoyer sur elle-même, pour former un vortex alimenté par une fureur grandissante. Le fauteuil bascula de plus en plus vite, jusqu'à ce que le squelette s'écroule : les os du cou, la clavicule, les omoplates, les côtes, le sternum… les uns après les autres, les ossements dégringolèrent, s'entassant sur le sol, tandis que les avant-bras, les mains et les tibias restaient ligotés au fauteuil.

La Vore déchaînée tourbillonna d'un bout à l'autre de sa prison puis, tout à coup, se rua vers la vitre.

— *LAISSE… MOI… SORTIR !*

Elle percuta le verre et éclata en petits nuages de fumée. Avant de se volatiliser.

Margot tremblait violemment de la tête aux pieds. Eben passa un bras autour de ses épaules et l'aida à gravir les marches.

Alex était recroquevillé près de la roue avant de la Cadillac. Il se tenait la tête entre les mains. Quand il vit ses compagnons approcher, il bondit sur ses pieds.

— Margot, je suis désolée, je…

— Grimpe dans la voiture, lui ordonna Eben.

La jeune fille s'allongea sur la banquette arrière. La voiture s'éloigna de la maison des Canfield. Alex, assis à l'avant, se tourna et prit la main de son amie dans la sienne. Mais il n'arrivait pas à parler. Les larmes de Margot avaient tracé de fins sillons rosés sur son visage couvert de poussière.

— C'était une Vore, murmura-t-elle. À présent, je comprends de quoi Macie voulait parler.

— Comment ça ? demanda le jeune homme.

— Passe-moi le livre.

Alex sortit son exemplaire des *Démoniaques* de son sac à dos posé à ses pieds et le lui tendit. Elle le feuilleta, en quête d'un passage précis qu'elle lut à haute voix.

— « *Je suis restée avec cette chose durant cinquante ans. Quand le cancer s'est mis à ronger son corps et qu'elle ne fut plus capable de se lever de son lit, je compris ce qu'il me restait à faire. Mon frère prendrait sa revanche, même s'il fallait que je m'en charge à sa place. Et plus la blessure serait amère, plus la vengeance serait douce.* »

Margot aperçut le regard d'Eben dans le rétroviseur.

— Macie a construit cette pièce et y a enfermé Jeremy afin d'y piéger la Vore quand son frère mourrait, expliqua la jeune fille en refermant le journal. C'est pour de vrai. Eben, tu entends ? Toute cette histoire est vraie. Qu'est-ce qu'on va faire ?

— Je n'en sais rien. Vraiment rien, Margot.

— Il faut qu'on...

— Non ! Ne remets jamais les pieds dans cet endroit ! Personne ne doit savoir ce que nous y avons vu. Et Dieu seul sait ce qui nous arriverait si cette chose parvenait à se libérer...

Ils roulèrent sur le gravier du chemin, traversèrent de nouveau les bois et regagnèrent la route goudronnée.

Pendant le trajet du retour, aucun d'eux ne dit mot.

13

Ce soir-là, Alex voulut garder son exemplaire des *Démoniaques*, mais proposa à Margot d'en imprimer un second plus tard. Dès qu'Eben l'eut déposée chez elle, elle se précipita dans la salle de bains, se déshabilla et laissa le jet de la douche déverser de l'eau très chaude le long de son corps – comme si cela pouvait faire disparaître les effroyables souvenirs liés à la Vore enfermée dans la cave et les hallucinations d'un Eben ensanglanté.

De retour dans sa chambre, elle jeta un coup d'œil à sa bibliothèque ; tout y était : les abominations imaginées par Lovecraft, les créatures rencontrées dans les romans de Stephen King, le séduisant vampirisme de Bram Stoker, les intrigues mortelles inventées par Edgar Alan Poe. Sa mère et elle avaient lu la moitié de ces ouvrages ensemble, à l'heure du coucher. Margot se rappelait la voix de sa mère, qui donnait vie à tous ces monstres, beaux et terribles à la fois. Elle se souvenait surtout d'une conversation.

— J'espère vraiment qu'en te lisant ces trucs, je ne vais pas faire de toi une névrosée paranoïaque, avait dit sa mère, assise sur une chaise près du lit de Margot.

— N'arrête surtout pas maintenant, maman. Ça commence à devenir intéressant !

— Tu n'as pas peur ?

— Euh… un petit peu.

— Hum. Ce n'est pas forcément une mauvaise chose, de ne pas craindre d'avoir peur, avait rétorqué sa mère en riant. Au moins, tu ne seras jamais une mauviette comme moi.

— T'es pas une mauviette, maman.

— D'une certaine manière, si, je le suis.

— Comment ça ?

— Eh bien, parfois, quand certaines choses m'effraient, j'ai envie de faire demi-tour et de m'enfuir. Mais ce n'est pas ton cas. Tu affrontes ce qui te fait peur, avait-elle ajouté en plantant un doigt dans la joue de Margot. Tu es comme Mithridate.

— Mitri quoi ?

— Le roi Mithridate, avait-elle précisé avant de reposer le livre. Il devint roi alors qu'il n'était qu'un enfant. Sa plus grande terreur était de se faire empoisonner par ceux qui convoitaient son trône. Aussi, il fit rassembler tous les poisons qui existaient dans son royaume et, au fil des années, il prit l'habitude d'en avaler une toute petite quantité chaque matin – de l'aconit, de la morelle, de la ciguë, de la serpentaire… Un poison différent chaque jour. Durant son règne, des traîtres essayèrent de l'empoisonner trois fois. Mais aucun ne parvint à le tuer, il était immunisé. Dans un sens, il a triomphé de sa peur en l'obligeant à faire *partie* de lui. Comme nous, avec les livres que nous lisons.

— Elle est *vraie*, cette histoire ? avait demandé Margot, les yeux écarquillés.

— Oui. « *Je raconte cette histoire telle que l'on me l'a racontée. Mithridate, lui, est mort vieux.*[1] »

---

1. Ces deux vers (« *I tell the tale that I heard told./ Mithridates, he died old.* ») sont extraits du poème « Terence, This is Stupid Stuff », de A. E. Housman (1859-1936).

Margot fixait la chaise vide, regrettant de ne pouvoir revenir à cette époque, ne serait-ce qu'un instant.

— D'autres bons conseils à me donner, maman ? lança-t-elle à voix haute. Tu sais peut-être comment se débarrasser d'une Vore ? Si c'est le cas, n'hésite pas à me faire signe, quand tu veux.

Elle s'étendit, se pelotonna sous ses couvertures et s'endormit en se demandant si elle serait capable d'agir comme Macie, quand celle-ci avait emprisonné la Vore.

Les paroles de la Vore traversaient son esprit, pareilles à des eaux de vidange. *Laisse-moi dévorer ta peur. Dévorer. Ta peur. Dévorer*. Un mantra que l'on trouvait aussi dans le journal de Macie. Quel sens lui donner ?

Margot se réveilla en sursaut. Elle ne savait pas si elle avait dormi longtemps, mais il faisait encore nuit dehors. Son téléphone mobile sonnait – la stridulation de la bande originale d'*Halloween*, le film de Carpenter. Elle s'en empara maladroitement et le porta à son oreille.

— Allô ? marmonna-t-elle.

— Margot ? dit Alex. Je voulais seulement m'assurer que ça allait.

— Ouais, tout va merveilleusement bien, tu dois le deviner…

— J'ai quelque chose à te dire. Nous avons bien la preuve que les Vores existent, pas vrai ?

— Exact. À moins que nous souffrions d'une hallucination collective.

— J'essaie de trouver un moyen d'attaquer ces créatures. Il y a des tas d'infos dans le journal de Macie, mais elle devient tellement cinglée vers le milieu qu'il est de plus en plus difficile de la comprendre.

— Moi aussi, j'ai pas arrêté d'y penser. T'as trouvé quelque chose ?

— Eh bien, dans son journal, nous avons vu les mêmes symboles que ceux qui étaient inscrits sur les murs de la cave. Sur la vitre, aussi. Je les ai cherchés dans tous les livres de magie ou de trucs bizarres sur lesquels j'ai pu mettre la main. J'ai rien trouvé. Macie s'est contentée de les écrire sans aucune explication. Pour l'instant, ils ne nous servent à rien... Il faut qu'on se concentre sur ce qu'on a appris.

— Ce qui se résume à peu de chose...

— Oui, mais c'est mieux que rien. D'après ce que nous savons, il est impossible de différencier à l'œil nu un véritable être humain de celui qui a été possédé. Mais il y a des indices. Les Vores détestent le froid, par exemple – nous l'avons vu avec Henry. Quand ma boule de neige l'a atteint au visage, sa peau a noirci.

— Et il a voulu toucher le feu. Les Vores sont obsédées par la chaleur.

— Nous avons aussi vu qu'elles apparaissent sous forme de fumée. Et pour finir, d'après Macie, les Vores ne savent pas pleurer.

— Mais comment faire pour les chasser ?

— C'est le problème. Il n'existe aucune méthode qui puisse nous guider. Et nous savons que Macie n'a jamais rien découvert. Sinon, elle aurait sauvé Jeremy plutôt que de le regarder mourir.

— Tu penses donc que Henry est perdu à jamais ? lança Margot, dont la voix se brisa.

— Hors de question de baisser les bras. C'est impossible. J'ai une idée. Je sais que ça va paraître idiot, mais c'est tout ce que nous pouvons faire pour l'instant. Tu es prête à l'entendre ?

— Oui, je t'écoute.

— Tout d'abord, nous connaissons l'un de leurs points faibles : le froid. Elles ne sont pas invincibles comme les Dieux Très Anciens inventés par Lovecraft.

— Génial. Me voilà rassurée. Au moins, Henry ne va pas s'amuser à avaler notre planète tout entière. Il va simplement tuer des animaux de compagnie et me forcer à être la proie d'hallucinations, jusqu'à ce qu'il devienne aussi taré que Joseph Garney et assassine quelques enfants en plein cours de catéchisme. Merci, je sens que je vais mieux dormir, à présent.

— Écoute-moi. Ce n'est pas une idée en l'air que je te propose. Si les Vores ont une faiblesse, c'est qu'elles ne sont pas invulnérables. Et si elles sont vulnérables, cela…

— … veut dire que nous avons les moyens de les détruire, dit la jeune fille, achevant la phrase de son ami.

— Parfaitement.

— Comment on va s'y prendre ? On va la congeler et la tuer ?

— Euh… Ce ne sera peut-être pas aussi facile que ça en a l'air. Nous ne savons pas où est passée la conscience de ton petit frère ; par conséquent, tuer la Vore ne sera probablement pas suffisant. Il faut aussi sauver l'esprit de Henry et le faire revenir dans son corps.

— Et si nous congelons le corps de Henry, non seulement nous tuons la créature, mais lui aussi…

— Autre chose : souviens-toi de Jeremy. Son corps est mort, mais pas la Vore. Elle est prise au piège, c'est vrai, et ne peut pas repartir d'où elle vient, mais elle n'est pas morte avec lui.

— Elles sont immortelles, chouette.

— On n'en sait rien. Mais pour l'instant, nous devons

aussi penser à Henry et ne pas le mettre en danger. Ce qui veut dire que nous allons devoir jouer serré avec cette chose si nous voulons l'obliger à quitter son corps. Ce qui m'amène à mon second point : nous ne pouvons pas la combattre physiquement puisque nous risquerions de blesser ton frère.

— Dans ce cas, quelle solution nous reste-t-il ?

— Il ne m'est venu qu'une seule idée : nous devons les pourchasser selon leur méthode. En réalité, ce n'est pas nos corps qu'elles attaquent. Mais plutôt nos esprits. Nous devons donc trouver un moyen de les atteindre *psychiquement*.

— Et comment tu comptes t'y prendre ?

— C'est la question qui reste en suspens… et à laquelle je n'ai pas encore de réponse.

— En gros, ce second point n'a rien de très concret, Alex, fit observer Margot.

— C'est un début de plan, non ? C'est mieux que rien. En fait, ce deuxième point nous amène à un troisième… Si nous pouvons entrer psychiquement en communication avec la Vore, je parie qu'elle va employer les grands moyens pour se débarrasser de nous. Et quelle est son arme la plus puissante ?

— La peur, répondit la jeune fille. C'est ce qui attire ces créatures. Elles s'en nourrissent. Et elle s'en servira contre nous, c'est certain.

— C'est aussi mon avis. Ce qui veut dire que nous devons nous montrer beaucoup plus courageux que nous le sommes… le plus rapidement possible, constata Alex avec un petit rire amer.

Au même instant, Margot entendit des voix qui venaient

du conduit d'aération. Son père était dans la chambre de Henry. Il le bordait et lui souhaitait bonne nuit.

— La peur est un poison, déclara-t-elle.

— Qu'est-ce que tu racontes ?

— Oui, c'est un poison. Ou une maladie, si tu préfères. Ce qu'il faut, c'est s'immuniser, petit à petit, ou s'inoculer les germes de cette maladie. Tu dois affronter ta peur et en triompher ; c'est le seul moyen de s'en distancier pour de bon.

— C'est peut-être valable pour toi, mais de mon côté, je ne connais personne, à part toi, qui ait lu autant de romans d'épouvante ou vu autant de films d'horreur que moi. Et pourtant, ce truc me fout vraiment les jetons. Parce que là, c'est pour de vrai.

— Je sais, chuchota-t-elle. Il faut que je te laisse. On en reparle demain, d'accord ?

— Margot ?

— Ouais ?

Alex marqua une pause avant de demander :

— Elles viennent d'où, d'après toi ? Et pourquoi est-ce qu'elles s'en prennent à nous ?

— Je ne pense pas avoir vraiment envie de le savoir. Tout ce qui m'intéresse, c'est Henry.

Sur ce, elle raccrocha.

Depuis la chambre d'à côté, lui parvenait la voix étouffée de son père. Il parlait à la *chose* qui faisait semblant d'être Henry. Une créature dont elle connaissait désormais la nature. Une Vore. Margot savait ce qu'elle était capable de lui faire subir, à elle, mais aussi aux gens qu'elle aimait.

Et ce n'était plus de la peur que la jeune fille éprouvait. Mais de la rage.

« Je raconte cette histoire telle qu'on me l'a racontée.

Mithridate, lui, est mort vieux », murmura-t-elle, les dents serrées.

Margot grimpa sur sa chaise de bureau et colla l'oreille à la grille du conduit d'aération. Des voix se mêlaient à la caresse tiède du chauffage central.

— Tu te sens comment ? Bien ? demandait son père.

— Ça peut aller, je crois, répondait Henry.

— Ça peut aller ? Qu'est-ce que tu entends par là ?

— Eh bien... c'est Margot.

— Quoi, Margot ?

— Je veux pas faire le mouchard, mais ma sœur, je l'aime. Et je la trouve changée.

Margot, surprise, songea que la créature se débrouillait vraiment pas mal. Jusqu'au petit serrement de gorge quand elle avait dit « ma sœur, je l'aime ».

— Comment ça ?

— Je crois qu'elle se drogue, papa. Alex aussi, peut-être.

Si la Vore n'avait pas été si bonne comédienne, Margot aurait éclaté de rire à l'idée d'Alex Cole se baladant sur sa bicyclette à douze vitesses, un gros joint aux lèvres. La créature n'était pas seulement bonne comédienne, elle se montrait vraiment excellente.

— Qu'est-ce qui te fait croire ça ? demanda son père.

— On nous en a parlé, à l'école. Et j'ai vu des pubs... Et comme elle est de plus en plus bizarre, je me suis dit que c'était peut-être à cause de ça. En tout cas, il paraît que c'est là qu'il faut chercher... on pourrait faire une liste de trucs qui la concernent... non ?

En entendant le soupir fatigué de son père, Margot comprit que celui-ci avait mordu à l'hameçon de la Vore.

— Merci de t'en inquiéter, Henry. Ta sœur a de la chance de t'avoir. Il faut dormir, à présent.

— D'accord.

L'air chaud du système d'aération vint effleurer la joue de la jeune fille. Que faisait son père ? Était-il en train d'embrasser son fils ? De le border ? Et allait-il appeler, dès ce soir, un groupe de soutien ? *« Allô ? Thom Halloway à l'appareil. J'ai l'impression que ma fille de quinze ans, Margot, traverse une crise et il se pourrait qu'elle consomme de la drogue. Mais sa mère a quitté le domicile conjugal et je suis tout à fait incapable de me comporter en père sur le plan affectif. Vous ne voudriez pas prendre ma place ? »*

Dans le conduit, l'air s'immobilisa.

Un murmure tout proche se glissa dans son oreille. Un ton grave. Sonore. Glacial.

— Margot...

Henry. Mais ce n'était plus l'enfant naïf de huit ans qu'il avait fait semblant d'être avec son père un instant plus tôt. Les minces barres de métal du conduit d'aération formaient un haut-parleur idéal pour sa voix froide, cruelle et sans pitié.

— Tu es très curieuse, comme fille...

— Que veux-tu dire ?

— Tu le sais parfaitement, Margot. Attends, que je me rappelle ce vieux proverbe... Ah, oui. « La curiosité a eu raison du chat : écorché vif, mis en pièces, avant d'être tué en poussant des hurlements. »

— Ouais, bien sûr, un de mes préférés, rétorqua-t-elle, les dents serrées.

— Curieuse et terrifiée par les araignées. Pauvre petite fille. Tu n'as aucune chance de t'en tirer contre nous.

— Nous avons l'intention de vous détruire.

— Impossible. Tu vas devenir folle. Ta peur te consumera, estompera les frontières entre le rêve et la réalité, précisa la Vore d'une voix qui se modifiait imperceptiblement et se faisait de plus en plus grave. Les araignées dans ta chambre ? C'était juste un *avant-goût*, Margot. Tu n'as plus besoin de tes romans d'épouvante ou de tes films d'horreur. Nous te réservons des surprises bien *réelles*, qu'il te faudra subir chaque jour de ta malheureuse existence, au point d'en perdre la raison ou de mourir d'une crise cardiaque. Comme cette vieille harpie avec laquelle tu m'as laissé l'autre jour. Mais j'espère que tu vas vivre très, très longtemps. Que ça nous prenne des années à te dévorer tout entière.

— C'est ce que tu crois. Je vais te renvoyer dans le sale trou d'où tu viens, et je vais ramener Henry.

— Tu n'as toujours pas saisi ? Je suis *Henry*. Le seul, désormais, que le monde connaisse.

Un rire strident, atroce, se répercuta dans le conduit d'aération.

Margot était furibonde. Pire, elle se sentait aussi impuissante.

La chose qui avait remplacé son petit frère bâilla.

— Bonne nuit, sœurette.

Mais Margot ne dormit pas.

Tu sais ce qui te reste à faire. Tu sais où aller.

Le réveil indiquait 02:17 quand elle sortit de son lit. Après avoir emprunté un jeu de clés et pris de quoi manger, elle sortit en douce de la maison. Elle grimpa dans le van déglingué que son père utilisait pour inspecter ses chantiers et, bientôt, se trouva de nouveau sur la route qui menait à Fredericks.

Légalement, elle n'avait pas le droit de conduire sans

être accompagnée, mais si elle avait confié son plan à Eben, il l'aurait empêchée de le mener à bien. Quant à Alex, il aurait exigé de l'accompagner. Mais la peur avait vaincu son ami trop souvent pour qu'elle puisse se permettre de prendre ce risque.

Tout en conduisant, Margot se rappela l'un des passages du journal de Macie : « *J'ai découvert un secret, à présent. Un secret sur l'humanité. Désormais, il s'agit de se demander qui possède une âme et qui est un monstre...* »

Perdue dans ses pensées, la jeune fille ne vit pas le semi-remorque dans le rétroviseur avant qu'il se trouve à quelques centimètres de son pare-choc. Le moteur rugissant du camion fit trembler le véhicule de Margot.

— Calme-toi, mec, lâche-moi un peu, lança-t-elle à voix haute.

Comme s'il l'avait entendue, le semi-remorque s'engagea dans la voie de gauche et accéléra afin de dépasser le van. Mais quand l'énorme véhicule arriva à sa hauteur, il ralentit et roula à ses côtés.

L'appel d'air provoqué par l'arrivée du camion malmena le petit van, qui oscilla de droite et de gauche. Margot serra le volant, si fermement que les jointures de ses doigts blanchirent.

— Qu'est-ce que t'attends ? Dépasse-moi ! s'écria-t-elle, tandis que le vieux van continuait d'être secoué, comme une barque sur une mer déchaînée. D'accord, espèce de connard ! Parfait !

Elle leva le pied de l'accélérateur et ralentit afin de se retrouver derrière le camion... mais celui-ci l'imita et fut de nouveau à sa hauteur. Les roues du petit van flottèrent et se rapprochèrent dangereusement du bord verglacé de la route.

Elles m'ont trouvée, songea Margot.

La fenêtre passager du semi-remorque se baissa et de la fumée s'échappa de la cabine. Le sang battait aux tempes de la jeune fille.

Au volant, un vieil homme aux cheveux grisonnants, vêtu d'un manteau de flanelle et coiffé d'une casquette de l'équipe de baseball des Red Sox de Boston. Il braqua les yeux sur Margot, ses lèvres s'étirèrent et il afficha un petit sourire pincé, avant de rejeter une longue bouffée de fumée.

— Hé ! beugla-t-il, y a un de tes feux arrière qui fonctionne plus !

Il gesticula en direction du van, une cigarette allumée coincée entre les doigts.

— T'as entendu ? T'as un feu arrière qu'est bousillé ! Soit prudente.

Sur ce, il remonta sa vitre, changea de vitesse et repartit à toute allure.

Un chauffeur routier. Rien d'autre. Un ange gardien des autoroutes. Il avait simplement cherché à se montrer attentionné. Prévenant envers son prochain.

Margot se rappela une autre phrase de Macie.

« Je connais un secret, et les secrets rendent paranoïaques... »

14

Une fois qu'elle eut quitté l'autoroute, Margot se trompa à deux reprises avant de retrouver le chemin qui traversait les bois. Elle s'arrêta devant la maison. Les battements de son cœur martelaient sa poitrine. Assise dans le van, la petite fille qui était en elle aurait voulu que tout redevienne comme avant ; elle essaya d'imaginer que toute cette histoire n'était qu'un rêve – que si elle fermait les yeux, elle se réveillerait dans un monde où tous les monstres ne seraient rien de plus que des créatures imaginaires, et où *Les Démoniaques* n'aurait été qu'un manuscrit étrange et fantastique trouvé dans un carton.

Elle attrapa le vieux sac marin de son père et sa lampe de poche, sortit du van et s'approcha de la maison.

Quelle que soit la nature de ces créatures, elles n'étaient pas invincibles. C'était impossible. Les Vores avaient des besoins et certaines choses leur faisaient horreur. Elles recherchaient la chaleur. Elles détestaient le froid. Les Vores étaient capables d'avoir une action sur un organisme vivant et de modifier ses données biologiques, ce qui permettait alors à ce dernier d'infliger d'atroces hallucinations à autrui, tout en le rendant vulnérable au froid. D'après Alex, cela signifiait que ces créatures étaient elles aussi des organismes vivants ou que, du moins, elles possédaient des caractéristiques physiques. Selon cette théorie, le phénomène devait se produire en sens inverse : quelque chose pouvait avoir une action sur les Vores et les modifier. Toutes ces hypothèses scientifiques lui semblaient confuses – s'il s'agissait bien de science... Mais cela n'avait pas d'importance. Soit Alex avait raison, soit elle transportait ce sac pour rien et c'en serait bientôt fini d'elle.

Margot alluma la lampe de poche et gravit les marches grinçantes de la véranda. Au-dessus d'elle, les mangeoires suspendues étaient immobiles dans l'air paisible. Elle tourna la poignée et entra dans la maison obscure. Il faisait froid et elle eut soudain envie de fuir.

Elle avait pourtant l'intention d'aller jusqu'au bout. Et pas seulement pour Henry. Car à présent, sa propre peur s'était réveillée et ne la quittait plus ; elle la transformait, la dominait, lui faisait perdre tous ses moyens. Les Vores avaient plusieurs sortes de victimes, en réalité. Macie en était la preuve. Dès que quelqu'un connaissait leur existence, il était maudit, lui aussi : ses doutes et ses craintes grandissaient et l'obsession prenait le dessus.

Il lui fallait agir maintenant, profiter du fait qu'elle était encore maîtresse d'elle-même. Elle traversa la pièce au sol jonché d'ossements d'oiseaux et se dirigea vers la trappe qui menait à la cave. Son souffle chaud se transformait en buée au contact de l'air glacial. Les épaisses ténèbres paraissaient engloutir le mince faisceau lumineux de sa lampe.

— *Laisse-moi sortir...*

Elle ouvrit la trappe d'un geste brusque et s'engagea dans l'escalier.

La créature savait que Margot était là.

La jeune fille sortit de sa poche l'un des clous pour plaque de plâtre de son père et le serra dans son poing. Elle sentit la pointe d'acier la piquer.

— *Laisse-moi sortir…*

Margot accrocha une des lampes de chantier de son père au dossier de la chaise et la mit en marche. La pièce fut soudain illuminée. À travers le trou dans la cloison aménagé par Alex, elle aperçut un visage vaporeux derrière la vitre. La Vore avait déjà prouvé qu'elle était capable de déceler ses peurs et de la transporter dans une réalité parallèle. Margot devait montrer qu'elle était forte et courageuse, même si c'était en grande partie de la bravade.

— *Je savais que tu reviendrais.*

La voix était sournoise, glaciale, railleuse.

— Ah ouais ?

— *Oui.*

La jeune fille ôta son manteau et le posa sur la chaise.

— Et comment tu peux en être si sûre ?

— *Vous êtes tous attirés par nous, comme nous le sommes par vous. Je suis tellement seule… depuis si longtemps. Privée de lumière, de chaleur…*

— De quoi te plains-tu ? Tu étais avec un cadavre en décomposition, un compagnon de cellule idéal, je t'assure.

— *L'autre fille se moquait de moi elle aussi. Je l'ai rendue folle.*

Macie.

— *Folle, terrifiée et solitaire. Je te réserve le même sort. Mais je peux t'aider, tu sais. Je peux dévorer ta peur. Mettre un terme à tes larmes, pour toujours.*

— J'en veux pas, de ton aide.

— *Tu mens. Tu as envie de connaître mes secrets. Mais si tu veux que je te donne quelque chose, il va falloir me donner autre chose en échange.*

— Qu'est-ce que tu veux ?

— *Approche-toi. Et pose ta main contre la vitre.*

Un sourire malveillant déforma les lèvres molles de la créature.

Margot s'avança et plaça le bout de ses doigts contre la paroi de verre, si froide qu'elle lui parut brûlante. Les motifs gravés dans la vitre semblaient frémir sous sa paume.

— *Quelqu'un est là, Margot, quelqu'un qui veut te voir.*

La Vore se mit à tourbillonner, pareille à de l'eau bouillante et boueuse et se métamorphosa.

Une femme, jeune et belle, apparut devant Margot.

Sa mère.

La jeune fille sentait la lotion au lilas avec laquelle sa mère se tamponnait les lobes des oreilles et le cou, chaque matin après sa douche.

Elles se trouvaient dans la salle de bains. Margot était assise sur une chaise, près du lavabo. Elle regardait le reflet de sa mère dans le miroir du placard. Sa mère se tenait derrière elle, une paire de ciseaux à la main. Elle coupait les pointes des cheveux tout juste lavés de sa fille.

— Vraiment, j'adore tes cheveux, dit-elle, comme à son habitude.

— C'est normal, tu as les mêmes.

— Margot… est-ce que tu me détesterais si je disparaissais sans prévenir de ta vie ?

— Pourquoi est-ce que tu disparaîtrais ?

— Tu préférerais penser que j'aurais été enlevée et violemment assassinée ou que je serais partie parce que je ne t'aimais pas ?

Clic. Clac. Faisaient les ciseaux.

— La première solution. Assassinée.

— Tu en es certaine ?

Clic. Clac. Clic. Clac.

— J'aurais pas envie de passer ma vie à me dire que ma mère ne m'aime pas. Vraiment, ça serait trop moche.

— Je vois, répondit sa mère, qui s'était arrêtée de manier les ciseaux. Ainsi, plutôt que de savoir que je mène une vie heureuse ailleurs, tu préfèrerais que je meure. Violemment.

Clic.

— Euh, non, je ne voulais pas dire…

— Si je trouve l'amour ailleurs, tu souhaiterais me savoir morte avant que je puisse en profiter. C'est bien ça ?

Clic. Clac.

— Mais non, ce n'était pas…

— C'est *toi* qui passes toujours avant tout le monde, pas vrai ?

— Hein ?

— Je t'ai donné naissance, je t'ai donné tout ce que j'ai pu… mais cela ne t'a pas suffi.

Elle se remit à couper les cheveux. Plus vite.

— Maman ?

— Ça ne te suffit *jamais*. Tu me pompes toute mon énergie, si bien que je me sens comme une coquille vide.

Les lames des ciseaux s'ouvraient et se refermaient brutalement, de plus en plus vite, et les beaux cheveux de Margot continuaient de tomber sur le sol.

— Maman ! Mes cheveux ! Arrête…

Elle essaya de se relever mais sa mère la força à se rasseoir. La main posée sur l'épaule de la jeune fille se rida, les ongles se fendirent et virèrent au jaune. Sa mère se transforma, l'air sale et hagard.

— Regarde ce que je suis, à cause de toi ! Sangsue !

Espèce de parasite ! hurla-t-elle. Qu'est-ce que tu veux de plus de moi ?

La paire de ciseaux paraissait à présent affamée, taillant de longues mèches à partir du cuir chevelu de Margot, laissant des plaques de peau nu sur son crâne. Le visage de sa mère était contracté par la colère.

— Maman ! Arrête, je t'en prie ! Arr…

— Que veux-tu de plus, Margot ? Du *sang* ?

Sa mère leva les ciseaux au-dessus d'elle. Ils étincelèrent, pareils à un oiseau aux ailes d'argent ; et, soudain, elle les plongea dans son propre poignet, puis offrit son bras à Margot, comme s'il s'agissait d'un sacrifice.

La jeune fille hurla, s'écarta de la vitre et ouvrit son poing fermé.

Le clou avait percé sa paume. La douleur avait mis fin à l'hallucination. Sa main saignait et lui faisait atrocement mal, mais au moins, elle avait pu couper court à ce cauchemar.

— *Tu aurais dû rester plus longtemps. Tu as manqué le meilleur moment.*

— Je te déteste, siffla Margot.

La Vore eut un grand sourire.

— *Vous autres, les humains, serez toujours prêts à détester ou à avoir peur. À vous faire du mal les uns les autres. À tuer et à être tué. C'est ainsi que nous pouvons entrer.*

— Ouais, c'est ce que tu crois, lança Margot avec mépris. Mais c'est quand même dommage que tu puisses pas *sortir* de ta prison.

À présent, c'était elle qui souriait. Elle tapota sur la vitre qui les séparait.

— Justement, poursuivit-elle, est-ce que vous pouvez mourir ? En fait, ça me plairait presque de vous savoir immortelles. Vu que si tu restes coincée ici pour l'éternité, le temps risque de te sembler long.

La Vore se rua contre la vitre.

Margot fit de son mieux pour ne pas tressaillir.

— *LAISSE-MOI SORTIR !*

Dès que la créature entra en contact avec la surface vitrée, des millions de particules vaporeuses volèrent en éclats, avant de se rassembler, pareilles à des volutes de mercure. Le visage se forma de nouveau.

— Il faut que tu saches que le coup du « regarde-comme-je-sais-me-précipiter-contre-la-vitre » finit par ne plus faire peur du tout. *Jamais* tu ne sortiras d'ici, tiens-le toi pour dit... sauf si je décide de te libérer.

La jeune fille aurait voulu s'enfuir. Dans le même temps, elle savourait ces instants, qui lui permettaient de mieux étudier cette créature. Celle-ci dégageait quelque chose d'infâme – tout le contraire de la lumière, de la chaleur, de la générosité, de l'amour.

— *Sauf si tu* décides *de me libérer... ?*

Margot acquiesça.

La Vore la regardait fixement. La proximité de ce monstre continuait d'ébranler la jeune fille. Elle enfonça le clou dans la paume de sa main afin que la douleur l'emporte sur la terreur qu'elle éprouvait. Elle sentit le sang couler de nouveau, sa chaleur contre sa peau.

— Tu veux sortir ? Dans ce cas, rends-moi mon frère.

— *On cherche à conclure un marché, à présent ? Tiens, tiens...*

— Je veux retrouver Henry. Je te rendrai la liberté quand lui sera libre. C'est tout ce qui m'importe. Débrouille-toi.

La créature de fumée se rapprocha encore.

— *Espèce de petite idiote. Crois-tu que nous ne formons*

qu'un seul esprit ? Penses-tu que moi, un être aussi minable, je détienne pareil pouvoir ? Si j'en avais été capable, j'aurais appelé l'une de mes compagnes à l'aide depuis bien longtemps, dit-elle en laissant échapper un petit rire sinistre. *Tu ne sais rien de nous. Tu confonds l'esclave et le maître. Toi aussi, tu finiras par succomber aux Démoniaques !*

— Ah, vraiment ? Et comment comptez-vous vous y prendre ? En obligeant mon petit frère à me tourmenter avec quelques tours de magie ? Ou bien en me faisant mourir d'ennui à force de me parler depuis ta petite cage ?

— *Tu as peut-être été suivie jusqu'ici. Et, sans le savoir, tu as des ennemis dans ton entourage... On ne sait jamais.*

Le visage vaporeux palpitait, une vibration hypnotique.

— *Je te propose un marché,* reprit la Vore. *Pourquoi ne pas m'aider à sortir d'ici... puis à investir ton corps ? Je reprends ma liberté, et toi, tu te débarrasses de ta peur.*

— C'est ce marché que tu avais proposé à Macie, pas vrai ? Après avoir perdu l'enveloppe de son frère. Tu croyais que j'accepterais, alors qu'elle avait refusé ?

— *Tu es remplie de peurs, Margot. Chaque recoin de ton esprit l'est. Et maintenant, il y a Henry. Et nous. Tu as tant à craindre de nous toutes. Imagines-tu un instant à quoi ta vie ressemblerait sans la peur ?*

Margot se sentait toute molle. La lampe de chantier était trop vive et la pièce glaciale. Sa main palpitait.

— Mais la Nuit des Ombres est passée. Comment parviendrais-tu à me posséder ?

— *Le solstice nous offre un accès et nous permet de dévorer les peurs des plus craintifs, comme ce garçon dans le champ de maïs.*

La créature tourbillonna à travers des restes du cadavre puis en ressortit en se faufilant entre les tas d'ossements.

— Jeremy, dit Margot. Il s'appelait Jeremy.

— *Il a été dévoré, cela s'est passé dans les ténèbres. La lumière d'une flamme nous a menées jusqu'à lui dans la nuit d'hiver. Mais il existe un autre moyen,* continua la Vore avec un sourire presque sensuel. *Abandonne-toi à ta peur afin de pouvoir en triompher. Choisis-moi, ouvre ton âme et accueille les Démoniaques.*

— Pourquoi est-ce que je m'infligerais un truc pareil ?

La Vore se rapprocha et s'arrêta tout contre la vitre.

— *Crois-tu que tu es venue ici de ton plein gré, Margot ? Tu es attirée par moi, comme moi par toi. Ta faiblesse est ma force. Imagine, quelle libération, Margot...*

— Mais... tu n'es pas humaine.

— *Nous devenons des êtres humains.*

— Non, c'est pas vrai. Vous êtes comme... un cancer.

— *Non, la peur est un cancer et nous sommes la guérison.*

— Vous vous en prenez aux faibles.

— *Oui, et ils deviennent forts. Puisqu'ils n'éprouvent plus aucune peur.*

Margot aurait voulu pouvoir fermer les yeux. Même une seconde.

— *Pourquoi es-tu revenue ? Pour sauver Henry ou pour te sauver... toi ?*

Elle entendit la voix résonner autour d'elle et se sentit comme Alice, en train de dégringoler dans le trou du lapin.

— Quelle sorte de... créature êtes-vous ?

— *Cela te dépasserait, tu ne peux pas le comprendre.*

Les yeux de la Vore s'évanouirent dans l'obscurité puis réapparurent. Margot serra le poing. La douleur lui parut insoutenable.

— *Si tu refuses, ta terreur va s'amplifier. C'est ce qui*

est arrivé à la fille qui était là avant toi. Nous savons qui tu es, Margot. Tu peux être certaine que Henry en a parlé aux autres. Nous te pourchasserons. Nous te torturerons. Inlassablement.

Son père surgit devant elle. Dans une main, une photographie de sa mère qu'il contemplait. Dans l'autre, un revolver qu'il leva à hauteur de visage, avant d'en enfoncer le canon dans sa bouche. Son doigt s'apprêtait à appuyer sur la gâchette.

La jeune fille enfonça de nouveau le clou dans sa paume.

— Arrête ça !

La vision se dissipa, comme une fumée dispersée par le vent. La Vore se contorsionnait contre la vitre.

— *Pourquoi opter pour un enfer quotidien, alors que je peux dévorer tes peurs et t'en débarrasser ?*

Le sang coulait entre les doigts de Margot.

— Est-ce que ça fait... mal ?

— *Non, tu n'auras pas mal.*

— Qu'est-ce qu'on éprouve, alors ?

— *On a l'impression d'être perdu dans le froid et l'obscurité... et ensuite, on retrouve son chemin. Voilà ce qu'on éprouve.*

La voix de la créature s'était adoucie, se réduisant presque à un ronronnement.

La batte de baseball qu'Alex avait lâchée la veille gisait toujours sur le sol. La jeune fille se pencha et la ramassa de sa main ensanglantée.

— J'ai peur.

La Vore sourit.

— *Parfait. Il* faut *que tu aies peur. Très, très peur. Mais ensuite, tu ne connaîtras plus jamais cette sensation.*

Margot leva la batte. Et tandis qu'elle la projetait contre

la vitre, le temps parut ralentir. Le bois heurta la cloison de verre et la vitre vola en éclats.

La Vore se mit à tournoyer, des spirales de vapeur noire se rassemblèrent, de plus en plus larges et denses, et flottèrent devant Margot.

— *Enfin libre !*

Dans la lumière vive, la fumée scintillait, dévorant toute trace de chaleur autour d'elle. La température du sous-sol chuta brutalement. Le souffle de Margot se transformait en buée froide. Face au monstre, elle frissonnait.

— *Cède à ta peur, laisse-la m'appeler. Abandonne-toi, pour moi, pour Henry, pour nous toutes.*

La jeune fille acquiesça, tout en sachant que le Henry dont parlait la Vore était une chose qui ressemblait à Henry, qui avait conservé ses souvenirs, mais qu'il ne s'agissait pas de son petit frère.

La Vore ne cessait de tourbillonner devant elle.

— Est-ce qu'il était aussi terrifié que moi ? demanda Margot en examinant les ossements de Jeremy.

— *Une proie facile. Pas aussi fort que toi.*

Le tourbillon s'accéléra.

— Est-ce vrai que les Vores ne savent pas pleurer ?

— *Oui, mais ça ne te manquera pas, tu verras.*

La créature glissa dans sa direction.

— Et une fois que ce sera terminé, que va-t-il arriver à la part de moi qui avait peur ? Est-ce qu'elle va mourir ?

— *Non, elle ne meurt pas.*

— Dans ce cas, où va-t-elle ?

— *Dans un endroit fait pour elle, un endroit où on a besoin d'elle.*

La Vore, nuage bouillonnant au visage maléfique et mouvant, la dévisageait de ses yeux noirs et étincelants.

— *L'heure est venue. Je le sens en toi. Je l'entends. Laisse ta peur prendre le dessus, que tu puisses lui dire adieu pour toujours,* murmura-t-elle d'une voix aguicheuse.

— Dis-moi pourquoi vous détestez le froid ? chuchota Margot.

— *Sans vous, le froid est la seule et unique chose que nous ressentons.*

— Eh bien, puisque tu détestes ça, je t'ai réservé une petite surprise.

Margot tira un extincteur du sac de marin.

— Voilà pour Henry !

Elle ôta le cran de sécurité et visa la créature.

Un nuage blanc de CO_2 glacé atteignit aussitôt la Vore, qui poussa un hurlement. La jeune fille envoya un autre jet, plus long que le précédent, et vida l'extincteur, si bien qu'une brume de CO_2 obscurcit tout. La fumée tourbillonnante ralentit et les gémissements de la créature s'évanouirent peu à peu. Bientôt, tout fut calme et silencieux. Margot lâcha l'extincteur.

— Assez froid pour toi, hein ?

Dans le brouillard blanc, qui chatoyait comme de la neige de conte de fées, elle aperçut quelque chose sur le sol. Elle s'en approcha prudemment tout en écartant le brouillard de la main.

Une abomination. Au-delà de tout ce qu'elle aurait pu imaginer. La chose gisait à terre, pareille à un poisson préhistorique doté d'un semblant de torse allongé. Nulle patte, mais un corps qui se terminait sur une queue charnue et des tentacules emmêlées placées de chaque côté qui s'empilaient autour d'elle. On ne voyait ni yeux, ni oreilles et à l'endroit où la tête aurait dû se trouver, on voyait seulement une gueule ronde, gigantesque, ainsi que deux rangées de dents noires d'où sortaient une langue irisée et pendante. Des bosses et des veines couvraient la peau luisante du monstre, qui dégageait une puanteur de feuilles pourrissantes.

Margot sentit l'adrénaline et la tension accumulées quitter son corps et elle se mit à pleurer, les épaules secouées par de gros sanglots.

Elle avait réussi. Elle avait détruit une Vore.

Pourtant, des gouttes de transpiration d'un vert pâle commencèrent à se former sur la peau glaciale de la bête et des bulles d'un liquide jaune et épais s'écoulaient de sa gueule et se répandaient sur le sol. Les restes du monstre s'affaissèrent et se transformèrent en flaque, remplie de déchets toxiques, qui s'approchait des bottes de la jeune fille. La masse gluante atteignit ses semelles puis s'attaqua au cuir éraflé. Margot sentit son estomac se nouer.

La Vore n'était pas en train de se désintégrer, mais de se métamorphoser, et les bosses qui couvraient son corps démantelé se transformèrent en des dizaines de nouvelles créatures.

Des araignées rouge sang.

Elles bondirent sur les pieds de Margot, qui essayait de les repousser et qui tapait furieusement des pieds, bien décidée à les écraser toutes, jusqu'à la dernière. Les araignées, semblables à des pustules grouillantes, éclataient sous ses bottes et, bientôt, le sol fut jonché de leurs dépouilles. Du coin de l'œil, elle aperçut quelque chose qui détalait, une petite bouffée de fumée noire s'échappant d'un abdomen rouge.

La voix de la Vore résonna dans sa tête.

La peur est un cancer et nous sommes la guérison.

Margot s'empara de l'araignée, qui la fixa du regard, les yeux remplis de haine.

La peur est un cancer et nous sommes la guérison.

L'histoire du roi Mithridate, se souvint la jeune fille. *Il ingérait du poison afin d'être immunisé.*

Elle saisit l'araignée des deux mains. Celle-ci se tortillait, essayant de se dégager. *Nous sommes la guérison.* Margot serrait si fort les dents que sa mâchoire en était douloureuse. *Nous dévorons votre peur.* Elle approcha la bête de ses lèvres.

Dévore ta peur.

Elle ouvrit la bouche et y enfourna l'affreuse créature. Ses crochets se plantèrent dans sa langue, lui infligeant une douleur atroce. Les pattes velues s'agitaient et son abdomen se tortillait contre sa gorge. Margot eut un haut-le-cœur et l'araignée en profita pour essayer de ressortir, mais la jeune fille l'enfonça de nouveau dans sa bouche et mordit dans l'abdomen de la bête. La chair, dure, éclata entre ses molaires, remplissant sa bouche et sa gorge d'un liquide épais et amer. Elle gémit, mais s'obligea à mordre et mâcher encore et encore, malgré un autre haut-le-cœur, tandis qu'elle hurlait en silence : *Dévore ta peur !* Bientôt, l'araignée ne fut plus qu'une bouillie glissante hérissée de petits morceaux. Saisie de nausée, Margot inspira de l'air par le nez et avala. L'abominable chose, qui tressaillait encore, descendit le long de sa gorge.

Voilà. Elle avait réussi.

À bout de souffle, elle s'écroula sur le sol en crachotant ; elle était en nage, pourtant, elle grelottait de froid. Les restes de la Vore avaient disparu. La chose était en elle, à présent, dans son sang. Le monstre avait échoué. Il était à sa merci, désormais.

« Tu vas le regretter », dit la Vore par la pensée.

La jeune fille sourit faiblement.

— Je le regrette déjà, répondit-elle, vu le sale goût que tu as.

Sur ce, elle s'appuya contre un mur et sombra dans le sommeil.

15

Allongée dans le sous-sol, Margot se réveilla. Quelque chose coulait du plafond. Une goutte du liquide tomba sur sa main. Elle la renifla.

De l'essence.

Elle entendit un bruit de pas au-dessus d'elle. Il y avait quelqu'un d'autre dans la maison. Elle se redressa précipitamment et gravit l'escalier à toute allure. Elle poussa la trappe, qui refusa de bouger. La chaleur irradiait les lattes de bois du plafond.

Elle plaça son épaule contre la trappe et poussa aussi fort que possible. La porte s'entrebâilla. La chaleur et la vive lueur des flammes se jetèrent sur son visage et Margot laissa retomber la trappe.

— Allez ! s'écria-t-elle pour s'encourager.

Elle se rua sur la trappe, qui s'ouvrit brusquement. Dans la pièce, le feu rugissait de tous côtés. Un épais tourbillon de fumée l'enveloppa, étouffant et aveuglant. La jeune fille trébucha, tomba à la renverse, dégringola la volée de marches et se cogna sur le sol de terre battue.

Étendue sur le ventre, elle toussait et éternuait. Ses vêtements fumaient et ses cheveux sentaient le roussi. Quand elle se releva, de la cendre flotta autour d'elle. Les escaliers avaient pris feu.

La jeune fille tournait en rond, essayait de réfléchir aux options qui s'offraient à elle.

Elle tira la chaise jusqu'à l'un des murs, la plaça sous l'un des soupiraux du sous-sol et grimpa. Debout, sur la pointe des pieds, elle sauta, mais il manquait encore une trentaine de centimètres pour que sa main puisse atteindre l'ouverture.

Près du plafond, où le feu couvait, la chaleur et la fumée étaient devenues suffocantes. Margot s'empara de l'extincteur vide et le lança contre la vitre du soupirail, qui vola en éclats. L'air chaud fut aspiré vers l'extérieur et la jeune fille songea qu'elle s'était offert un court répit.

Soudain, un craquement affreux se fit entendre : les escaliers venaient de s'effondrer dans la pièce. Les flammes, qui rugissaient comme des démons, se précipitèrent vers Margot, l'encerclant de toutes parts.

Levant les yeux, elle aperçut un tuyau de fonte à un mètre environ du plafond ; il courait sur toute la longueur du sous-sol. La maison était biscornue et le tuyau n'était pas toujours placé à la même hauteur : il se trouvait plus bas à un bout de la pièce et remontait peu à peu jusqu'au soupirail.

Margot plaça la chaise contre le mur d'en face. Elle s'accroupit afin d'inspirer profondément, l'air étant moins chaud près du sol, puis elle grimpa sur la chaise et sauta. Ses mains s'agrippèrent au tuyau, dont le métal brûlant lui meurtrit les paumes. Elle gémit mais ne lâcha pas prise.

Oublie la douleur. Sinon, tu es bonne pour mourir brûlée vive, s'encouragea-t-elle.

À un mètre au-dessus du tuyau, les flammes léchaient le plafond. Le métal était si chaud qu'à son contact, sa main ensanglantée se mit à grésiller.

Continue. Concentre-toi sur le soupirail.

Une main après l'autre, elle avança petit à petit. Plus que trois mètres. Tout à coup, elle entendit un craquement sec. Derrière elle, le tuyau s'était affaissé. Le métal commençait à fondre.

Plus que deux mètres. Un mètre. Le tuyau grinça et se cassa net, juste derrière elle. L'extrémité à laquelle elle était accrochée pendait en direction du soupirail. Margot se projeta en avant. Ses doigts brûlés saisirent le montant de la fenêtre tandis qu'elle percutait le mur.

Suspendue dans le vide, essoufflée, elle manquait d'air.

Soit tu grimpes, soit tu meurs ici.

Elle hissa son corps épuisé sur le rebord du soupirail et sortit à l'air libre, tandis que le plafond du sous-sol s'écroulait derrière elle.

Elle atterrit dans le jardin situé à l'arrière de la maison et traversa la pelouse gelée en rampant. Un peu plus loin, elle s'effondra, s'immobilisa et posa la joue contre le sol givré. L'air sec du petit matin glissa dans sa gorge. Elle enfonça ses doigts couverts d'ampoules dans la terre froide.

Les yeux voilés de larmes, elle se retourna et contempla la maison, qui n'était plus qu'un immense brasier. De l'autre côté du bâtiment, elle entendit un moteur ronfler, des pneus crisser et la voiture de celui qui avait voulu la tuer partir en trombe.

16

Sur le trajet du retour, l'esprit de Margot fut rempli de visions d'araignées, de monstres aux contours imprécis, et des yeux froids de la créature qui vivait à l'intérieur du corps de son frère. Seule la terrible douleur qui traversait ses mains l'aidait à ne pas perdre pied et l'empêchait de déraper sur la route verglacée. Une fois arrivée devant chez elle, la jeune fille sortit de la voiture en titubant. À l'horizon, le soleil commençait tout juste à poindre.

Une fois devant la porte d'entrée, ses mains brûlées tremblaient si fort qu'elle ne parvint pas à insérer la clé dans la serrure ; au bout d'un instant, elle la lâcha. Elle se pencha pour la ramasser et, quand elle se redressa, Henry se tenait face à elle. Pieds nus dans son pyjama Spiderman, un grand sourire aux lèvres, un morceau de muffin à la main.

— À la myrtille. C'est le dernier, précisa-t-il en l'enfournant dans sa bouche. La preuve, ajouta-t-il en ouvrant grand la bouche pour lui montrer la bouillie visqueuse.

Margot repensa à la créature grotesque et déformée qu'elle avait vue sur le sol de la cave, tandis qu'un liquide jaune sortait de sa gueule.

— T'as pas l'air dans un bon jour, sœurette. D'où tu sors ?

— Je suis allée détruire une de tes sales petites copines.

Les yeux de Henry se réduisirent à deux fentes.

— Tu mens.

— Oui, t'as raison. Je l'ai pas seulement détruite. Je l'ai fait exploser en millions d'éclats glacés. Et ensuite, je l'ai *mangée*.

Le garçon recula. Margot le suivit dans le vestibule.

— T'as peur ? En tout cas, je n'ai plus peur. J'ai dévoré ma peur, espèce de petite saleté. Qu'est-ce que tu dis de ça ?

Elle poussa brutalement Henry, qui tomba par terre.

— Et maintenant, ça va être ton tour, reprit-elle. Je compte bien retrouver mon frère.

— Henry m'appartient désormais, siffla l'enfant tout en détalant. Tu ne pourras pas le faire revenir !

— C'est ce que tu crois ! lança Margot, qui se dressait au-dessus de lui. Dans ce cas, il va falloir que je te donne des coups de pied au cul jusqu'à ce que tu regrettes d'être là !

Elle aimait son frère, mais il était ailleurs, dans un lieu qu'elle ne pouvait atteindre. Et puis, ce corps sans âme n'était pas Henry, seulement des fluides et des muscles. Elle l'attrapa par le haut de son pyjama, le tira vers la porte et le jeta sur la pelouse enneigée.

— Papa ! cria l'enfant, les yeux levés vers les fenêtres du premier étage.

Margot plaça un pied sur sa poitrine et il s'étala dans la neige.

— Papa ! Au secours !

Il paraissait tellement sincère. Elle croyait entendre Henry.

La jeune fille le gifla violemment. Le petit garçon porta la main à sa joue. Il grelottait, tandis que des veines noires apparaissaient à la surface de ses pieds nus et remontaient le long de ses chevilles.

— C'est froid, dit-il, paniqué. Trop froid.

— T'as un problème, Henry ? lança Margot en enfonçant un genou dans son ventre. Moi qui croyais que tu adorais la neige…

— Laisse-moi tranquille !

Sa peau avait viré au gris bleu. Il se contorsionnait, à l'agonie. Il essaya de se redresser, mais la jeune fille l'attrapa par les poignets et le poussa de nouveau vers le sol. À l'intérieur du corps de l'enfant, la Vore bouillonnait, et sa peau semblait onduler.

La jeune fille serra ses poignets plus fort, obligeant le petit garçon à se plaquer davantage sur la neige. Il poussa un petit glapissement. Au même instant, Margot sentit que quelque chose se réveillait en elle et courait dans ses veines.

Dans son esprit, une porte s'ouvrit en grand.

— *Comment as-tu fait…* ? demanda la Vore d'une voix rauque.

Tout ce qui composait la réalité s'estompa autour de Margot. Temps et espace n'existaient plus. Elle ne parvenait plus à dire où son corps s'arrêtait et où celui de Henry commençait. Tandis que le monde qu'elle connaissait disparaissait, elle sentit qu'elle franchissait une barrière psychique invisible, pour aussitôt s'enfoncer dans un abîme noir et froid…

17

L'obscurité s'éloigna des contours de sa vision, pareille à une marée qui reflue lentement.

Margot se retrouva étendue dans un brouillard épais et humide. Elle distinguait des rires, la mélodie grinçante d'un orgue de barbarie et les « ding-ding-ding » des jeux d'une fête foraine. Elle percevait aussi de légers arômes de caramel et de pop-corn beurré. L'esprit confus, elle se releva et se dirigea d'un pas trébuchant vers les bruits et les odeurs. Un instant plus tôt, elle se trouvait sur sa pelouse gelée, en train de combattre le monstre qui avait pris la place de Henry.

Où était-elle à présent ?

Le brouillard se dissipa et le sol boueux céda la place à de la sciure. Des baraques de foire, des marchands de sucreries, des clowns qui tenaient des ballons s'alignaient le long d'une allée où déambulait la foule. Plus loin, elle aperçut un grand huit, des montagnes russes, un palais des glaces, et la silhouette d'une immense grande roue qui se découpait sur le ciel sombre. Margot poussa un tourniquet rouge et entra dans la fête foraine, une version irréelle et merveilleuse de celle de Bottle Hill, où ils s'étaient rendus tous les quatre, Henry, elle et leurs parents.

Des groupes d'enfants joyeux couraient d'un stand à

l'autre, les mains chargées de gâteaux et de barbe à papa ; une toute petite fille passa près d'elle en sautillant, avec dans les bras un ours qui faisait presque le double de sa taille. L'enfant trébucha et tomba de tout son long sur la peluche qu'elle avait gagnée. Margot se pencha pour l'aider, mais la fillette se releva toute seule et rattrapa ses amis en courant et en riant.

Depuis que Margot avait quatre ans, ses parents l'emmenaient chaque été dans la ville de Bottle Hill où la fête foraine durait quatre jours. Les trois premières années, Margot y alla seule avec ses parents. L'été qui avait suivi la naissance de Henry, son père et elle avaient fait d'innombrables tours de grande roue, du haut de laquelle ils agitaient la main en direction de sa mère, restée en bas avec la poussette bleue.

La fête foraine rappelait à la jeune fille les jours heureux qu'ils avaient vécus autrefois. Et même quand elle était devenue trop grande pour apprécier le grand huit ou les autotamponneuses, elle aimait regarder Henry prendre autant de plaisir qu'elle en avait eu au même âge.

Jusqu'au départ de leur mère.

Ils n'y étaient pas retournés depuis.

Plus elle avançait, plus les odeurs devenaient entêtantes, plus les bruits s'amplifiaient, plus les couleurs se faisaient vives. Le souvenir de la bagarre avec Henry la taraudait, comme un battement de cœur défaillant. Elle essaya de mieux s'en souvenir, de retrouver certains détails – la neige, le froid, la fumée dans les yeux du petit garçon. Mais tout semblait s'estomper, masqué par les sons, les lumières et les odeurs de la fête.

Arrivée devant la grande roue, elle leva les yeux vers les nacelles rouges, jaunes ou blanches que la brise berçait. Le manège ralentit puis s'immobilisa. Un petit rouquin au visage couvert de taches de rousseur et une fillette blonde aux joues vermeilles sortirent d'un bond d'une nacelle, puis descendirent la rampe en courant, serrant dans leurs mains des bouts de tickets roses et des cornets de glace. La petite fille traînait un ours en peluche derrière elle.

— Hé ! appela Margot d'une voix qui lui parut toute fluette.

Le garçon s'arrêta et la dévisagea d'un air intrigué.

La jeune fille s'approcha de lui mais l'enfant recula d'un pas.

— T'es une étrangère, ici.

— Où ça ? Où sommes-nous ? On dirait la fête foraine de Bottle Hill, mais...

Le garçon lécha nerveusement sa glace aux pépites de chocolat.

— Est-ce qu'il t'a invitée ?

— *Qui* aurait pu m'inviter ?

Il se pencha un peu vers elle et la renifla. Ses yeux s'écarquillèrent.

— Tu n'as pas le droit d'être ici, rétorqua l'enfant, tandis que de la glace coulait le long de son menton. T'as pas été invitée ! Il faut que tu t'en ailles, ajouta-t-il en tendant un doigt boudiné et tremblant en direction du brouillard.

— Je n'ai pas le droit d'être *où* ? s'écria Margot en attrapant le garçon par les épaules. *Où* sommes-nous ?

La fillette lança un regard noir à Margot. Elle murmura quelques mots à l'oreille de sa peluche, qui semblait sale et pelée et à laquelle il manquait les yeux, puis la souleva et la plaça face à la jeune fille.

— Je te vois, lança la petite tout en secouant l'ours devant elle.

De la fumée noire s'échappa des orbites de la peluche ; une langue brillante sortit tout à coup de sa gueule et l'ours l'agita en direction de Margot. Celle-ci, écœurée, poussa un petit cri de stupeur et recula d'un pas titubant.

La petite fille ricana puis s'enfuit en courant.

— *Où suis-je* ? insista-t-elle.

Le garçon ouvrit la bouche, mais seuls quelques sons gutturaux en sortirent.

Il n'avait plus de langue. On la lui avait tranchée.

Il s'enfuit à son tour.

Une marée d'enfants passa en courant devant Margot. Ils se dirigeaient vers une baraque de foire où d'autres se bousculaient déjà. La jeune fille les suivit. Elle observa le stand par-dessus une douzaine de petites têtes agitées. Trois fusils à eau étaient fixés au milieu d'un comptoir, une planche de bois pleine d'échardes, et des animaux en peluche miteux pendaient à des clous rouillés sur les cloisons de la baraque.

Margot connaissait bien ce jeu. Pour gagner un prix, il s'agissait d'être le plus rapide à tirer de l'eau dans la tête du clown en plastique, puis de faire éclater le ballon de baudruche placé derrière sa tête. C'était ainsi que Henry avait obtenu Kappi, son koala bien-aimé. Sa mère avait été si fière de lui…

— Où sont les têtes ? demanda un garçon aux cheveux bouclés, qui n'arrêtait pas de sautiller sur place.

— Les voici ! cria un garçon avec des lunettes aux verres épais, coiffé d'une casquette de baseball. Regardez ! Les têtes ! Les têtes arrivent !

Il tendait le doigt vers un grand clown mince, vêtu d'un survêtement à pois couvert de taches marron, qui venait de surgir de derrière une tenture.

Le clown avait glissé une main à l'intérieur de sa veste, tandis que de l'autre, il tenait par les cheveux trois têtes d'enfants décapités. Ils affichaient des expressions terrifiées. La scène paraissait sortir tout droit d'un film d'horreur de série B, mais cette idée ne rassura guère Margot ; car sous les odeurs de friture et de barbe à papa, elle décelait la puanteur de la mort.

Le clown déposa ses trophées sur une table et deux fillettes grimpèrent sur des caisses placées devant le comptoir. La foule excitée poussa un petit garçon sur la troisième caisse, entre les deux autres enfants. Ces dernières se tournèrent vers le petit et ricanèrent, tandis que de minces volutes de fumée noire sortaient de leurs yeux. Elles se concentrèrent sur le viseur de leur fusil et glissèrent le doigt sous la gâchette. Le petit garçon essaya de redescendre de sa caisse, mais la foule l'obligea à y rester.

— Dépêche-toi de jouer, espèce de mauviette ! cria un des enfants.

— T'as pas intérêt à perdre ! l'avertit un autre.

Le garçon se retourna et Margot vit ses cheveux bouclés, son visage rond, ses grands yeux terrifiés...

— Henry ! hurla-t-elle.

Mais sa voix fut noyée par le son strident du klaxon que le clown s'était mis à actionner.

— Henry, c'est moi !

Elle se précipita vers lui, mais les enfants, qui poussaient des acclamations, l'empêchèrent d'avancer. De la fumée noire suintait de dizaines de paires d'yeux, tandis que l'agitation de la foule augmentait.

— Écartez-vous de lui ! s'époumona-t-elle.

— Non ! rétorqua un garçon au nez camus. C'est toi qui va t'écarter ! Sinon, ta tête va finir sur cette planche !

Il lui envoya un coup de poing dans le ventre. Margot, le souffle coupé, se plia en deux en toussant, cherchant à reprendre sa respiration. À terre dans la sciure, elle rampait tandis que les enfants, fous à lier, lui donnaient des coups de pied et la repoussaient vers le sol chaque fois qu'elle s'efforçait de se relever.

— Je vous en prie…, murmurait-elle. Ne faites pas de mal à mon petit frère…

Elle jeta un coup d'œil par-dessus la foule et vit les deux fillettes tirer sur les têtes décapitées. Mais plutôt que de l'eau, ce furent des jets rouge sang qui jaillirent de leurs fusils.

— Tu vas perdre ! s'écria le garçon aux lunettes à l'attention de Henry.

— Il a trop peur de jouer ! cracha une petite fille blonde. Poule mouillée ! Poule mouillée !

Tous les enfants l'imitèrent et se mirent à chanter avec elle, tout en lançant leurs petits poings en l'air. Henry plaça ses mains tremblantes sur le fusil fixé devant lui et appuya sur la gâchette. Le jet rouge partit brusquement et atteignit l'un des prix qui pendait à une poutre, un petit singe qui n'avait qu'un seul œil.

La foule éclata de rire.

Margot se releva lentement, mal assurée sur ses jambes, affaiblie par les coups. Elle repoussa une fillette et tenta de nouveau de rejoindre Henry.

Mais celui-ci glissa de sa caisse et tomba à la renverse dans la sciure. D'autres rires résonnèrent et l'un des enfants lui donna des coups de pied.

Le clown fit retentir son klaxon puis se tourna vers Henry. Les autres enfants reculèrent et se mirent à se moquer de Henry.

— T'as perdu, poule mouillée !
— Tu ferais mieux de t'enfuir !
— D'aller te cacher !
— Prends garde à ta tête !

Margot appela de nouveau son frère mais il ne pouvait l'entendre par-dessus les railleries, et la foule l'empêchait d'avancer. Le clown bondit sur le comptoir. Un sourire dément aux lèvres, il sortit son autre main de sa veste. À la place d'une main, une hachette rouillée, couverte de sang, était greffée à son poignet.

— Henry ! cria Margot. Va-t'en !

Les hurlements de son petit frère résonnaient d'un bout à l'autre de la fête foraine. Elle le vit détaler en direction de l'allée centrale, tandis que le clown partait derrière lui en sautillant dans ses grandes chaussures molles, actionnant son klaxon et agitant la hachette qui lui tenait lieu de main.

Margot se dégagea brutalement des enfants qui la retenaient et se mit à courir après son frère et le clown tueur. Arrivée près de la grande roue, elle perdit leur trace. Elle contourna les rails du grand huit au pas de course et dépassa plusieurs stands où des torses humains, privés de tête et de membres, étaient étalés sur les comptoirs.

Ni son frère, ni son assaillant n'étaient en vue. Elle passa devant un manège en marche ; les chevaux de bois et les licornes de son enfance avaient disparu, remplacés par des démons noirs et cornus et par des gargouilles grises aux ailes pointues. Désespérée, la jeune fille promena son regard autour d'elle.

— Henry ! hurla-t-elle. Où es-tu ?

Le klaxon du clown retentit au loin. Margot bondit sur le manège, le traversa et arriva juste à temps pour voir le tueur disparaître dans le cylindre bariolé et tourbillonnant qui marquait l'entrée du palais des glaces.

Elle le suivit, trébucha dans le tube et arriva directement dans la salle des glaces, cernée par ses propres reflets déformés : petite et tassée ; immense et très mince, le visage pointu ; en forme d'ouvre-bouteille ; yeux, lèvres et oreilles pincés. Le sol et le plafond étaient eux aussi recouverts de miroirs. Autour d'elle, tout bougeait, se déformait et ondulait, si bien qu'elle se sentit très vite nauséeuse. Pourtant, elle continua d'avancer, trébuchant à travers ce labyrinthe et se cognant aux murs en appelant Henry.

Mais tandis qu'elle progressait, son reflet se modifia : ce n'était plus elle qu'elle voyait mais Henry, à différents stades de son existence. Un enfant de cinq ans, pleurant sa grand-mère morte ; un vieil homme fragile, atteint d'un cancer, comme l'avait été leur propre grand-père durant des mois.

La jeune fille fit volte-face et tomba sur le reflet d'un petit squelette.

— Rien de tout cela n'est vrai, Margot ! lui lança-t-il. C'est impossible !

Ces hallucinations s'évanouirent et la jeune fille se retrouva face à son propre reflet. Elle s'appuya contre un miroir, ferma les yeux pour mieux entendre.

À l'exception de son souffle saccadé, le labyrinthe était silencieux.

— Henry, je t'en prie, chuchota-t-elle. Réponds-moi...

Soudain, elle perçut un pas traînant. Dans les miroirs, des chaussures de clown éclaboussées de sang se reflétaient dans toutes les directions. Margot leva les yeux et découvrit, au-dessus de sa tête, une rangée de lames rouillées qui s'étendait à l'infini... La jeune fille se baissa vivement tandis que les hachettes retombaient sur elle.

L'une d'elles s'abattit sur son épaule droite.

La lame traversa sa chemise et s'enfonça dans la chair. Margot se mit à hurler. Son sang éclaboussa les miroirs. Elle s'enfuit plus loin dans le labyrinthe, rentrant dans les cloisons et titubant le long de couloirs sans fin. Bientôt, ses jambes lui semblèrent aussi lourdes que du plomb et ses mouvements au ralenti, comme si, autour d'elle, le temps se suspendait. Les bruits et les couleurs s'estompèrent...

Tout ce qui l'entourait se fit transparent, comme si des sculptures de verre se découpaient sur un décor ténébreux, puis disparut. Paralysée, elle bascula dans le vide, vulnérable, sans lumière, ni chaleur, ni espoir...

Margot sentit quelque chose de froid contre sa peau. Elle ouvrit les yeux : des flocons de neige tombaient sur son nez et sur ses cils.

Elle était de retour sur sa pelouse. Henry était allongé près d'elle, à moitié conscient. Il gémit, ouvrit les yeux à son tour.

— Sors ! Sors d'ici ! murmura-t-il.

Soudain, le garçon se redressa, les yeux écarquillés de peur. Il passa ses doigts sur son visage, comme pour s'assurer qu'il était bien vivant. À la vue de Margot, trop perdue pour réagir, trop affaiblie pour le repousser, il bondit sur elle.

— Comment est-ce que tu as fait ça ? cracha l'enfant, tandis que ses doigts serraient la gorge de sa sœur. Je vais t'arracher la tête !

À cet instant, le plat d'une pelle frappa le dos de Henry et le projeta au sol.

— Tu la touches encore une fois et *je* t'arrache la tête ! s'exclama Alex en aidant Margot à se mettre debout. Casse-toi d'ici, sale petit démon !

— Tu vas le payer, lança Henry en se relevant. Tu n'aurais jamais dû pénétrer dans *notre* domaine. Nous n'hésiterons pas à nous en prendre à vous, à présent. À vous deux.

Le garçon, dont les yeux froids laissaient échapper des spirales de fumée, rentra dans la maison d'un pas mal assuré et claqua la porte. Alex et Margot l'entendirent tirer le verrou derrière lui.

— Le *domaine* ? répéta le jeune homme. Margot, bon sang ! Où est-ce que tu es allée ?

18

Margot était assise sur le lit d'Alex ; agenouillé devant elle, il lui bandait les mains. Des posters de films d'horreur recouvraient les murs. Tous les tueurs masqués, les démons assoiffés de sang et les morts-vivants affamés qui s'y trouvaient paraissaient plus réconfortants que terrifiants.

Les icônes familières d'un temps où la peur avait été un jeu. Une époque révolue.

Couverte de cendre, Margot était si épuisée qu'elle avait l'impression d'être passée dans un broyeur industriel. Elle allait devoir faire couper ses cheveux, la seule chose qu'elle aimait chez elle, brûlés pendant qu'elle s'échappait de la maison. Au moins, Alex lui avait prêté un bonnet de laine noire pour les cacher. Et tandis qu'il s'occupait de soigner les blessures de son amie, elle lui raconta tout ce qui lui était arrivé. Puis, voyant qu'il restait muet, elle s'en étonna.

— Dis quelque chose.

Il leva les yeux vers elle, un regard où l'inquiétude le disputait à la colère.

— Qu'est-ce que tu veux que je te dise, Margot ? Que ça ne me dérange pas que tu sois retournée là-bas sans moi ? Que tu aies affronté cette chose toute seule ?

— Alex, je...

— Tu aurais pu *mourir* dans cet incendie !

Il colla du sparadrap à l'extrémité des bandes de gaze qui entouraient les mains de la jeune fille et tourna ses paumes vers lui avec tendresse.

— Tu as eu de la chance de t'en tirer avec seulement quelques brûlures sur cette partie du corps.

Margot serra les bras autour d'elle.

— Je sais, mais...

— Et comment est-ce que t'as pu manger ce truc ? l'interrompit le jeune homme qui se leva et se mit à arpenter la pièce de long en large. Est-ce que tu te rends compte des toxines que tu as pu ingérer ? Personne ne connaît leurs composants chimiques ! Sans parler des dégâts psychiques que tu...

— Henry est mon frère, Alex. Tu as dit que nous devions nous montrer encore plus courageux. C'est ce que j'ai fait.

— Margot... je... je sais que j'ai eu les chocottes quand j'ai vu la Vore. Mais ça n'arrivera plus. Je ne te laisserai pas tomber une seconde fois.

Elle se releva et le prit dans ses bras.

— Oui, je sais. Et c'est pourquoi j'ai besoin de toi. Il faut que tu m'aides à comprendre ce qui a pu m'arriver, dit-elle en lui désignant son ordinateur.

— Voilà au moins une chose que je maîtrise ! répondit Alex avec un grand sourire.

Il balaya du revers de la main une pile de cannettes de soda de son bureau et s'assit devant sa machine. Margot promena son regard autour de la chambre de son ami. Comme à l'ordinaire, il y régnait un grand désordre : des cannettes vides de boissons énergétiques à la caféine jonchaient le sol, décoraient les étagères, les commodes et les enceintes et encerclaient sa collection de figurines de monstres en plastique, pareilles à d'étranges idoles. Des piles de cahiers griffonnés s'accumulaient sur sa table de chevet et les trois écrans reliés à son ordinateur affichaient des sites Internet très particuliers : celui de l'Institut de parapsychologie de Boston, une page amateur représentant un enlèvement extraterrestre – le clip ringard d'une soucoupe volante équipée d'un rayon lumineux – et une autre page plus intimidante, qui dévoilait un texte émis par le gouvernement fédéral : le genre de document que personne, à l'exception d'Alex, n'aurait eu le courage de lire. Enfin, au milieu de son poste de travail, éclairé par une lampe de bureau, trônait le journal de Macie.

Pendant que le jeune homme faisait ses recherches, Margot se pelotonna sur le lit et ferma les yeux. Elle avait eu l'intention de s'assoupir quelques minutes seulement, mais il faisait presque nuit quand elle fut réveillée par le sifflement de la cannette qu'Alex était en train d'ouvrir.

— Je me suis dit qu'il valait mieux te laisser dormir un moment, vu ta fatigue, lui dit-il avant de boire une gorgée.

— Qu'est-ce qui m'est arrivé ? demanda-t-elle en se levant et en le rejoignant à son bureau. J'espère que tu as trouvé une explication à ces phénomènes.

— Pour commencer, je crois que le fait de manger la Vore a modifié quelque chose dans ton esprit, répondit-il en tapotant le crâne de son amie de la pointe de son crayon. Tu n'es pas une Vore là-dedans, mais d'une certaine façon, tu es connectée à ces créatures. Tu peux te brancher à elles ou à un endroit qu'elles connaissent. Je ne sais pas ce que c'est au juste, mais tu y es allée quand tu t'en es prise à Henry dans la neige. Apparemment, plusieurs choses peuvent le déclencher : un contact physique, ou le froid, ou bien la colère…

— Mais comment est-ce que j'ai pu provoquer ça ? Je

sentais la Vore qui faisait tout pour m'en empêcher et qui s'efforçait d'exploiter mes peurs.

— Ça s'est passé exactement comme avec moi, quand Henry a essayé de me noyer. Une partie de ce monstre est entrée dans mon esprit alors que j'étais en contact physique avec ton frère. Il s'est faufilé dans mon cerveau, a trouvé mes peurs et les a fait resurgir.

— Mais…

— À la différence que toi, tu l'as repoussé.

— Ouais, c'est vrai.

Alex prit un morceau de cookie dans le bol posé par terre et le fourra dans sa bouche.

— Écoute un peu ça, dit-il en ouvrant le journal à une page déjà marquée. Macie a écrit ce passage des décennies après que les Vores eurent emporté son frère, alors qu'il mourait du cancer. Jusqu'à aujourd'hui, je n'y avais jamais prêté attention : *« Jeremy a de nouveau parlé dans son sommeil la nuit dernière. Cela lui arrive régulièrement depuis qu'il est atteint du cancer, et l'entendre me brise le cœur. Il a la voix du garçon que j'aimais tant et il crie : "J'ai tellement peur ! À l'aide, Pa ! Sors-moi d'ici !" »*

— On dirait qu'il est enfermé dans un cauchemar, murmura Margot.

Alex acquiesça.

— Imagine qu'il existe, au fond de nous, un endroit dont nous n'avons pas conscience. Un endroit rempli de trucs si monstrueux que notre esprit ne veut même pas que notre *inconscient* le sache. Ce domaine dont la Vore a parlé, quand elle t'a menacée. Un peu comme un… *territoire de la terreur…*

Alex se tourna vers l'écran où s'affichait le site de l'Institut de parapsychologie et trouva le schéma d'un cerveau en trois dimensions. Il cliqua sur une icône et le dessin pivota sur lui-même, révélant de nombreuses ramifications neurologiques.

— Tu penses qu'elles nous envahissent en passant par le cerveau ?

— Pourquoi pas ? Après tout, il y a des mécanismes cérébraux dont nous ne savons rien. Des recoins obscurs, jamais explorés. Mais il y a quelque chose entre les Vores et les êtres humains, une synergie qui leur permet d'accéder à nos peurs, de prendre le contrôle de notre esprit et de notre corps.

Il cliqua sur le schéma et agrandit une petite bosse qui se trouvait à la base du cerveau.

— Cette petite chose en forme d'amande s'appelle l'amygdale. Une partie du cerveau qui, selon les scientifiques, est notre centre émotionnel, où les sensations sont primaires et ne passent pas par la pensée ou l'intellect. Juste les émotions intenses. L'euphorie, la rage, la panique.

— Et la peur.

— Tout à fait, répondit Alex en s'appuyant sur le dossier de sa chaise, tandis qu'il mordillait un crayon. Et si c'était une porte d'entrée pour les Vores ? Imaginons qu'elles parviennent à pénétrer dans l'amygdale et à ouvrir ce territoire de la terreur. À le manipuler. Ce territoire est bâti à partir de nos propres peurs... et je pense que quand tu t'es connectée à ce monstre, tu étais dans ta propre tête.

— Non, je ne crois pas. Je l'ai sentie, elle essayait de me repousser, de faire en sorte que je n'entre pas. Et puis, s'il s'agissait de mes peurs, pourquoi une fête foraine ? Et pourquoi Henry s'y trouvait-il ?

— La fête foraine est juste un décor. C'est Henry, la clé

de tout. Ce qui te terrifie le plus, à l'heure actuelle, c'est l'idée que cette Vore a pu faire disparaître ton petit frère.

— Mais je n'ai pas eu l'impression que c'était *mon* cauchemar, rétorqua-t-elle en prenant un morceau de cookie. Un clown tueur dans une fête foraine maléfique ? Quand même, cela ne me ressemble pas !

— Il ne faut pas penser en termes aussi concrets, répondit Alex en se levant. D'un point de vue psychique, ce sont les symboles qui comptent. Et un clown pourrait incarner des dizaines de peurs différentes.

— Ouais, si tu le dis, mais tout ça était bel et bien concret.

— Oui, j'en suis certain, mais nous parlons de traumatisme psychique, pas de dangers réels ou physiques, précisa le jeune homme en se massant les tempes. Comment est-ce que ce clown a voulu te tuer ?

— Il a essayé de me tailler en pièces avec sa jolie petite hachette greffée au poignet. Si j'avais su que mes peurs les plus profondes se résumaient à de tels clichés !

— Un clown avec une hachette à la place de la main ?

Alex parcourut rapidement une étagère de DVD. Il en sortit un qu'il tendit à son amie.

— C'était ce clown ?

Le personnage en question rendit son regard à Margot.

— Oui... oui, c'est lui !

— *Killer Karnival 2 : Le Retour de Berzerko*. C'est le souvenir de ce film qui a déclenché tes hallucinations. Enfin, on avance un peu !

— Mais... je n'ai jamais vu ce film.

— Tu as déjà vu ce personnage dans le premier épisode.

— Non, je ne l'ai pas vu non plus.

— Bien sûr que si. Il y a quelques mois, Henry me l'a emprunté en me disant que tu...

Alex s'interrompit, bouche bée.

— Il ne te l'a jamais fait passer ?

— Non, répondit Margot.

— C'est lui qui voulait le regarder...

La jeune fille s'assit sur le lit.

— Je savais que ça ne se passait pas dans ma tête, Alex. J'étais dans *la sienne*.

— Ouais, t'as raison, répondit-il lentement.

Il réfléchissait, et Margot sentait que les rouages de son cerveau fonctionnaient à toute allure.

— En fait, c'est le contraire qui s'est passé : la Vore ne t'a pas attaquée. C'est *toi* qui l'as attaquée.

— Dis plutôt que j'étais morte de trouille.

— C'est peut-être ce que tu ressentais. Mais tu as saisi que les Vores accèdent à nos cerveaux ? Avec la substance que tu as ingérée, tu peux le faire toi aussi. Je parie qu'elles n'en sont pas revenues de te voir débarquer. T'es devenue une super-chaman, terrible !

— Je suis une super-rien-du-tout, Alex, rétorqua son amie en lui lançant un regard furieux. Si c'était le cas, mon petit frère ne serait pas coincé dans une fête foraine où un tueur le poursuit. Et puis, il y a quelque chose que la Vore a dite qui m'inquiète... ou plutôt la façon dont elle l'a dite... que je n'aurais jamais dû pénétrer dans *leur* domaine.

— Oui ?

— Et si ce territoire de la terreur, comme tu l'appelles, n'était pas dans le cerveau de Henry ? Mais carrément ailleurs ? Un endroit qui existerait vraiment, comme une quatrième dimension ou un truc dans ce genre ?

— Dans ce cas, t'es encore plus géniale que je pensais ! Tu es capable de rejoindre le lieu d'où elles viennent.

— On dirait que tout ça t'excite… est-ce que je me trompe ?

— Non, t'as parfaitement raison ! Tu ne saisis pas, Margot ? Quel que soit l'endroit où se trouve Henry, *tu es capable de le rejoindre* !

Alex fit claquer ses mains sur les épaules de son amie. Celle-ci hurla de douleur.

— Qu'est-ce que j'ai fait ? demanda le jeune homme en reculant d'un bond. Tu as d'autres brûlures ?

Avec précaution, Margot porta la main à son bras droit.

— Mon épaule…

Elle déboutonna le haut de sa chemise. Alex se déplaça derrière elle tandis qu'elle découvrait son épaule. Il réprima un cri.

— Bon dieu, chuchota-t-il. C'est quoi ce truc… ?

Margot regarda la blessure dans le miroir de la porte du placard. Alex fixa la cicatrice qui descendait dans son dos sur une vingtaine de centimètres. On aurait dit une plaie creusée depuis *l'intérieur* de son corps, sous la peau.

— C'est à cet endroit que la hachette m'a atteinte, dans le palais des glaces, murmura la jeune fille.

— Je vais la toucher, d'accord ?

— Doucement, alors.

Alex posa le bout du doigt sur la cicatrice.

— Oui, c'est sensible… C'est une vraie blessure…

Soudain, une bouffée de fumée s'en échappa.

— Merde, qu'est-ce qui m'arrive ? s'exclama Margot, l'air accablé.

— Attends… regarde !

Lentement, la cicatrice se refermait, du centre aux extrémités. Sous la peau, sa chair ondulait. La blessure se résorbait de l'intérieur.

— Incroyable.

Bientôt, il ne resta plus qu'une légère cicatrice sombre, si fine qu'elle était presque invisible.

— Traumatisme psychique, que dalle ! lança la jeune fille. Tu peux m'expliquer ce truc ?

À cet instant, le téléphone se mit à sonner. Tous deux sursautèrent. Alex vérifia l'identité de celui qui appelait.

— Ça vient de chez toi. Ton père qui doit se demander ce qui se passe. Tu veux que je...

— Non, laisse-moi faire.

Elle décrocha mais ne dit rien. Elle entendit la respiration rauque de l'enfant.

— Rentre à la maison, Margot, dit-il d'une voix douce, posée. J'ai plus envie de me battre. Tu ne m'aimes donc plus ?

— Tu n'es pas Henry.

— Mais si. Je me souviens de tout, Margot. Toutes les fois où tu m'as lu des livres, où tu m'as raconté ces histoires terrifiantes...

— Tu as conservé la mémoire de mon frère, mais tu n'es pas lui.

— Pourtant, c'est ce que papa croit. Il m'aime comme je suis.

— Je vais t'obliger à sortir de là, le menaça-t-elle d'une voix basse et dure. Je jure sur ma vie que je vais *t'obliger* à sortir du corps de mon frère.

— Mais non. Aujourd'hui, tu m'as pris au dépourvu, c'est tout. Ça n'arrivera plus, continua la créature, qui avait abandonné le ton sucré de Henry. Par ailleurs, je déteste ça, quand tu contraries papa. Tu sais bien que c'est une épave depuis que maman est partie. Et il paraît si fragile quand il est endormi.

Margot se figea d'effroi.

— Ne t'approche pas de lui.

— Dans ce cas, soit gentille, sœurette. Rentre à la maison. Je te laisserai me lire une histoire. Avec une fin heureuse, ajouta-t-il avant de raccrocher.

Margot enfouit son visage dans ses mains brûlées et tremblantes.

— Si je ne rentre pas à la maison, la Vore va faire du mal à mon père.

Elle se dirigea vers la fenêtre et regarda au-dehors. De tout petits flocons de neige fouettaient l'air.

— Je l'ai trouvé, Alex. Le véritable Henry. À présent, il faut que je cherche un moyen de le ramener.

— On va y arriver. Mais pour l'instant, il faut que tu dormes et...

— Non, plus tard. J'y retourne ce soir, dans ce territoire de la terreur. Maintenant que je sais où il se trouve, je ne peux pas le laisser là-bas.

— Mais regarde-toi. Je suis inquiet. Tu es dans un état lamentable.

— Henry, le vrai Henry, vit les pires de ses cauchemars depuis la Nuit des Ombres, rétorqua-t-elle en levant ses mains bandées vers Alex. Ça, ce n'est rien comparé à ce qu'il subit. Il faut qu'on trouve un moyen de triompher de cette créature.

Le jeune homme acquiesça.

— Nous savons qu'elle a le froid en horreur. Tu as pu pénétrer dans son esprit alors que tu la maintenais au sol, dans la neige. C'est peut-être à ces moments que les Vores perdent un peu le contrôle de leur esprit. Il faudrait qu'on l'attire dehors. Dans un endroit où personne ne pourra nous surprendre.

— La neige l'a affaiblie, mais j'ai été repoussée avant de pouvoir retrouver Henry. Il faut trouver un lieu où il fasse vraiment très froid. Comme le lac Cutter. Les eaux y sont prises dans la glace.

— Ça pourrait le tuer, Margot.

Tous deux contemplaient le paysage détérioré par l'hiver. Des glaçons qui pendaient du toit brillaient comme des lames de couteau. Le ciel était lourd, froid et sombre et le jardin paraissait pétrifié, comme mort. Chaque année, l'hiver envahissait le monde. À croire que le printemps ne reviendrait plus jamais.

— Je préfèrerais le tuer plutôt que de le savoir dans cet enfer.

— D'accord, on s'en occupe ce soir.

— Alex ?

— Ouais ?

— Est-ce que dans le journal de Macie, il y un passage qui s'intitule « Comment retrouver son frère dans son territoire de la terreur » ?

— Et non, c'est à toi d'écrire ce chapitre, ma belle.

Il souriait mais Margot voyait bien qu'il était inquiet.

— Il y a autre chose... reprit-il en se tordant les mains.

— Quoi donc ?

— Dans ce territoire, une lame imaginaire peut couper pour de vrai, même si c'est de l'intérieur.

D'instinct, la jeune fille porta la main à son épaule.

— Les blessures infligées sont bien réelles. Pas tout à fait comme dans la réalité, mais elles provoquent quelques dégâts. Et ce qui t'est arrivé était un avant-goût. Et si tu... mourais dans ce territoire, eh bien...

— Oui, je pourrais mourir pour de vrai, termina-t-elle en prenant leurs blousons puis en lançant le sien au garçon. Je suis consciente de ce risque. Mais qu'est-ce que je peux faire d'autre ? J'y ferai face. Et je sortirai Henry de là.

Margot descendit les escaliers en courant et Alex la suivit. Une fois que la porte d'entrée se fut refermée derrière eux, la jeune fille sentit un nœud se former au creux de son ventre.

— Le lac est à cinq kilomètres d'ici, dit-elle. Impossible d'y aller en vélo...

— On va plutôt prendre ça, répondit le jeune homme en indiquant l'imposant 4 × 4 gris métallisé de sa mère. Elle est partie à New York pour ses affaires, elle ne revient que dans quelques jours.

La Honda de son père, à côté, ressemblait à une voiture miniature.

— Ton père ne va pas s'en apercevoir ?

— Tu plaisantes ? Il est plus de dix heures. Il doit déjà être en train de dormir comme un loir.

Alex souffla dans ses mains. Ses doigts étaient déjà pâles dans l'air glacial.

— Dans ce cas, dépêche-toi d'aller chercher les clés ! Mon père est seul avec cette créature !

Le jeune homme repartit vers la maison, mais il s'interrompit.

— L'hypothermie et la noyade sont de véritables dangers, Margot. Il faut que tu en aies conscience.

— Je sais. Mais que...

— Laisse-moi seulement dix minutes. Je vais préparer une trousse de secours, histoire de vous réchauffer si besoin est. Des couvertures sèches, des serviettes chaudes, ce genre de trucs. Je dois aussi avoir une bouillotte quelque part.

— On n'a pas le temps de la chercher. Rassemble ce que tu peux et rejoins-moi chez moi. Je vais obliger cette saleté à sortir de la maison, même si je dois pour cela la traîner par les cheveux.

Sur ce, elle partit à toute allure.

— Margot, attends !

— À tout à l'heure, Alex ! répondit-elle sans se retourner.

19

La maison des Cole était exactement à 1,2 km de celle des Halloway, mais ce soir-là, Margot avait l'impression qu'un pays entier les séparait l'une de l'autre.

Alors qu'elle avançait, le vent giflant son visage, deux silhouettes apparurent sur le trottoir d'en face ; appuyées contre un réverbère, les bouts rougeoyants de leur cigarette pareils à deux petites cerises. De la fumée s'échappait de leurs narines. Des capuches noires étaient serrées autour de leur visage. On aurait dit deux gargouilles jumelles.

Les Kassner.

La jeune fille pressa le pas et, quand elle arriva à leur hauteur, évita de les regarder. Keech et Mitch étaient bien les dernières personnes qu'elle avait envie de croiser dans le noir, ce soir-là de surcroît. Elle se retourna vers le réverbère. Ils n'y étaient plus.

La jeune fille sursauta. Keech se trouvait en travers de son chemin : il se dressait devant elle, à quelques pas seulement. Il lui décocha un sourire qui découvrit ses dents jaunes et souffla une longue bouffée de fumée dans sa direction. Derrière elle, les bottes de Mitch martelaient le trottoir et sa carrure imposante projetait sur le sol une ombre aussi effilée qu'une lame.

Quand le premier s'approcha de Margot et voulut l'attraper, la peur s'empara d'elle. Elle recula, trébucha sur le bord du trottoir, se tordit la cheville et tomba sur la chaussée. Elle s'égratigna le genou sur le goudron et l'un de ses avant-bras heurta brutalement le sol. Les jumeaux, restés sur le trottoir, la dévisageaient de leurs yeux vides.

— Cassez-vous ! Et foutez-moi la paix ! hurla-t-elle tout en s'efforçant de se relever.

Deux phares l'aveuglèrent et une Mustang rutilante s'arrêta dans un crissement de pneu. La vitre côté passager se baissa. La jeune fille se redressa et soupira de soulagement à la vue de Quinn.

— Salut, Margot.

Son sourire s'évanouit quand il aperçut Mitch et Keech.

— Salut les mecs, lança-t-il froidement.

— 'Lut, capitaine, marmonna le second des jumeaux.

— Vous n'êtes pas un peu loin de chez vous ?

Les garçons haussèrent les épaules.

Quinn se pencha par-dessus le siège passager et ouvrit la portière.

— Monte, Margot.

Elle obtempéra, claqua la portière derrière elle puis jeta un coup d'œil à Keech. Son visage était pâle sous la capuche noire. Quinn appuya sur l'accélérateur et la Mustang partit à vive allure.

À l'intérieur de la voiture, Margot, glacée jusqu'aux os, se sentit aussitôt réchauffée ; tous les moments désagréables de la soirée s'estompèrent. Aussi, malgré son trouble, elle parvint à se détendre.

— Ils ne t'ont pas fait de mal, j'espère ? lui demanda Quinn en lui jetant un regard soucieux. Je vais leur botter le cul s'ils ont…

— Non, t'inquiète, s'empressa-t-elle de répondre. Ils

ont simplement voulu me faire peur, je crois, et j'ai trébuché. C'était idiot.

— C'est que... je les ai vus... et toi, tu étais par terre, et j'ai cru que...

— Je vais bien. Mais tu es arrivé au bon moment. Je vais finir par croire que tu es mon ange gardien ou un truc de ce genre.

— Un ange ? Euh... répondit-il en souriant.

— On y est, dit-elle en désignant sa maison.

Mais le jeune homme n'y prêta pas attention et continua de rouler.

— On a dépassé ma maison, elle est juste derrière...

— Je me disais, euh, qu'on pourrait se faire une balade en voiture, répondit-il d'une voix timide. Histoire de bavarder un peu.

Margot faillit s'étrangler de surprise. L'horloge du tableau de bord indiquait qu'il ne lui restait que quelques minutes pour faire sortir Henry de chez eux avant l'arrivée d'Alex. Et voilà que Quinn décidait de se montrer entreprenant.

— Ça me ferait vraiment plaisir, tu sais. Sérieux. Mais...

— T'as un rencart de prévu ?

— Je dois rentrer chez moi. Mon petit frère...

— Il ne traîne plus à point d'heure dans les rues vides, j'espère ?

— Non, c'est pas ça. Juste qu'il n'aime pas rester tout seul.

— On n'en a pas pour longtemps.

Le chauffage était à fond. Des gouttes de sueur apparurent sur son front.

— Vraiment, je ne devrais pas... Il va avoir...

— Peur ? Penses-tu. Je crois qu'il en est venu à bout.

Les maisons étaient de plus en plus clairsemées. La voiture se dirigeait vers l'extérieur de la ville.

— Quoi ? Qu'est-ce que tu...

— Henry est venu à bout de *toutes* ses peurs.

Le cœur de Margot se mit à battre à tout rompre.

La voix de Quinn avait changé. Elle était dure. Comme celle de Henry depuis que la Vore le possédait. Le jeune homme lui jeta un coup d'œil, un petit sourire satisfait aux lèvres. Un frisson parcourut le corps de Margot. Le moteur de la Mustang rugissait, la voiture prenait de la vitesse. Margot s'agrippa au tableau de bord.

— Oh merde. Non. S'il te plaît... pas *toi*.

— Atterris un peu, Halloway. Tu pensais vraiment qu'un mec comme moi aurait envie de sortir avec toi ? Une élève de seconde qui n'a pas un gramme de poitrine ? Non... tu le pensais ? Tu y as cru ? C'est pathétique.

La voiture avait atteint les quatre-vingts kilomètres heure. Margot se sentit prise de vertige. La chaleur était étouffante.

— Arrête la voiture ! hurla-t-elle.

— Ouais, Henry s'en sort pas mal du tout. Une fois qu'on est dedans, ça demande un petit temps d'adaptation ; faut s'habituer à goûter, à sentir, à dormir, à parler et à se comporter comme un gamin. Je parie qu'il en est encore au stade où on se gave de sucreries et qu'on joue avec le feu, je me trompe ?

La jeune fille s'appuya contre la portière et chercha la poignée à tâtons.

Quinn fit une bulle de chewing-gum et la laissa éclater avec un sourire suffisant.

— Après toutes ces années, j'avoue que moi-même, j'ai encore du mal à ne pas succomber à la tentation. Mais quand on vient d'un monde sans lumière ni saveur, on a tendance à dépasser les bornes. Tu vois ce que je veux dire ?

— Laisse-moi sortir !

La voiture, qui avait dépassé les cent kilomètres heure, filait en trombe sur la route verglacée. D'ici quelques instants, ils atteindraient Abernathy Flats, des hectares de terres agricoles enfouies sous la neige, suffisamment éloignées de toute agglomération pour qu'on puisse y commettre des horreurs à l'insu de tous.

Margot se jeta sur le volant. La Mustang dérapa, les roues arrière patinèrent et la voiture virevolta sur elle-même, si vite que la jeune fille fut prise de nausées. Quinn lui envoya un coup de coude dans le sternum, un coup si violent qu'elle en eut le souffle coupé. Elle s'affala contre la vitre, haletante. Le garçon reprit le contrôle du volant, se rabattit sur le bas-côté. La Mustang s'arrêta dans un crissement de pneus.

— Waouh ! Cool ! J'adore cette voiture !

Margot ouvrit la portière mais Quinn l'attrapa par le poignet gauche.

— Détends-toi. Reste un peu. Je t'ai dit que j'avais envie de bavarder.

Là où la main du jeune homme lui tenait le poignet, le froid la transperçait et lui engourdissait tout le bras.

— Merde, j'ai été surpris quand j'ai vu le journal tombé de ton sac. J'ai compris qu'il fallait garder un œil sur toi et, depuis, je t'ai pas lâchée d'une semelle. Et quand je t'ai vu filer en douce pour retourner dans la vieille baraque, je t'ai suivie. Je croyais vraiment m'être débarrassé de toi après avoir fait flamber la maison. Mais quelle surprise. Tu t'en es tirée. T'es une dure à cuire, Margot Halloway.

La main bandée de la jeune fille était aussi douloureuse

que des dents sensibles au froid ayant croqué dans de la crème glacée. Quinn serra plus fort son poignet. Le bout des doigts de Margot vira au violacé.

— Ainsi, tu es au courant de notre existence. La belle affaire. Le genre de truc qui peut inquiéter Henry – le *nouvel* Henry. Mais voilà : lui, c'est un débutant. Il n'est pas encore habitué à son corps, à son environnement immédiat, à la manière dont se comportent les humains. Moi, ça fait beaucoup plus de temps que je traîne parmi vous, et je flippe pas aussi facilement.

— C'est impossible, non... vous pouvez pas tous être des... *Vores*, bredouilla-t-elle.

— Ouais, mon chou, c'est comme ça qu'on nous appelle... entre autres, répondit Quinn en riant. Croque-mitaine, succube, *Doppelgänger*[1], Vore... pour moi, peu importe, tu n'as que l'embarras du choix.

À présent, la main de Margot était entièrement bleue. Elle avait l'impression que ça n'était plus la sienne. Qu'elle était comme morte.

— Qu'est-ce que tu veux ?

— Moi ? Je veux simplement mener une vie humaine. Après, il y a quelque chose, une entité plus puissante, qui a des projets, Halloway. Nous autres, Vores, ne sommes que la partie visible de l'iceberg. Et tu sais ce qui est le plus délectable, dans tout ça ? Personne ne verra rien venir avant qu'il soit trop tard.

— Mais je sais tout de vous, désormais. Et je...

Quinn fit de nouveau éclater son chewing-gum.

— Tu sais rien, que dalle !

---

1. *Doppelgänger* : mot d'origine allemande qui désigne le double fantomatique d'une personne vivante, le plus souvent un jumeau maléfique.

Il resserra son étreinte. Les doigts de Margot étaient gris, maintenant, et la peau tendue. Elle essaya vainement de se dégager. Il la tenait d'une poigne d'acier.

— Mais tu sais ce qui est le plus terrifiant, dans tout ça ?

Le bout des doigts de Margot se fendit en deux et de minuscules pattes noires apparurent, se tortillant pour s'en extraire.

— Le plus terrifiant, désormais, c'est que *nous te connaissons*.

Tout en ricanant, il lâcha son poignet tandis qu'un flot ininterrompu de centaines d'araignées noires sortaient des doigts de Margot et remontaient le long de son bras. Bientôt, elles envahirent la moindre parcelle de son corps – ses yeux, ses oreilles, se jetant à l'intérieur de sa bouche quand elle essaya de crier. À l'aveuglette, la jeune fille trouva la poignée, ouvrit la portière, tomba de la voiture et s'écroula dans la neige.

— Enlève-les ! Arrête ça !

D'épais fils de soie couvraient ses joues. Elle tenta de les arracher, mais les araignées tissaient leur toile de plus en plus vite autour de sa tête et de son corps, comme si elles cherchaient à l'envelopper dans un cocon.

Quinn avait éteint le moteur pour mieux savourer le spectacle. Il s'appuya contre le dossier de son siège et n'eut pas le temps de se raidir en préparation du choc provoqué par un énorme 4 × 4 qui percuta l'arrière de la Mustang. Sa tête heurta violemment le pare-brise, qui se fendilla de toutes parts.

Alex bondit de son véhicule qui n'avait quasiment subi aucun dommage et empoigna Margot qui essayait de se libérer des araignées imaginaires. Elle lui lança des coups de pied, lui hurla après, lui griffa le cou.

Il ne la lâcha pas.

— Margot ! Tout va bien ! Calme-toi. C'est moi.

Le jeune homme la serra fort contre lui et appuya son visage contre le sien.

— Reprends-toi, Margot. Tout va bien. C'est moi, Alex. Je suis là, murmura-t-il à son oreille.

Ses convulsions cessèrent peu à peu. Elle leva vers lui des yeux voilés par les larmes.

— Alex ?

— Oui, je suis là.

Elle examina ses doigts. Les agita. Puis prit son ami dans ses bras.

— Comment est-ce que… Où nous… ? bégaya-t-elle.

Elle entendait le moteur du 4 × 4 ronronner ainsi que des cris étouffés qui semblaient venir de l'arrière du véhicule.

— Quand je suis arrivé chez toi, tu n'étais pas devant la maison, alors je suis rentré en douce. Henry était devant la télé et je l'ai attrapé. Il a essayé de me noyer de nouveau, mais j'ai résisté, précisa-t-il avec un grand sourire. J'ai fait comme toi, Margot, je l'ai repoussé. Et ç'a marché. Je l'ai enfermé dans le coffre et je t'ai attendue. Mais…

— Comment est-ce que tu m'as retrouvée ?

— J'ai vu la voiture de Quinn passer devant chez toi sans s'arrêter. Tu étais à l'intérieur. Ça m'a semblé louche, alors je vous ai suivis. J'ai bien fait, non ? Ensuite, la Mustang a dérapé, a fait un tête-à-queue, et j'ai vu que vous vous battiez. Aussi, dès que tu es descendue de la voiture, j'en ai profité pour m'en prendre à lui.

— Ouais. On dirait que le tank de ta mère n'a pas une seule rayure. Contrairement à Quinn...

Alex jeta un coup d'œil dans la Mustang et vit le jeune homme affalé sur le volant. Le sang coulait de son front ouvert.

— Il a l'air mal en point, Margot. Il a besoin d'une ambulance.

— T'as l'intention de sauver la peau d'une Vore ? lui demanda Margot. J'espère que tu plaisantes !

Alex la dévisagea, bouche bée.

— Quoi ? Tu veux dire que Quinn est l'une d'elles ? Et moi qui croyais que c'était simplement un abruti !

20

Alex paraissait ridicule derrière le volant de la voiture maternelle.

— Je me demande comment elle fait pour conduire ce truc, râlait le jeune homme. On dirait un yacht. Et ses sièges sont pires que le canapé de ma grand-mère. J'ai l'impression d'être aspiré, tellement je m'y enfonce... et puis tu as vu le carburant qu'elle consomme...

Les grognements de leur prisonnier qui se débattait dans le coffre interrompirent Alex. Il grimaça et s'agita sur son siège.

— C'est du grand n'importe quoi, Alex, dit Margot. Je n'arrive pas à croire qu'on soit devenus des kidnappeurs.

— C'est la Vore qui a kidnappé ton frère. Pas nous.

Les terres agricoles furent remplacées par des chênes et des bouleaux couverts de neige qui se pressaient jusqu'au bord de la route sinueuse.

Alex ralentit, par crainte de déraper sur la route verglacée et d'atterrir dans un ravin escarpé. La voiture pénétra lentement sur le terrain de camping qui entourait le lac Cutter.

— Si Henry a créé cet endroit, ce territoire de la terreur, c'est à cause de *moi*, dit soudain Margot, qui contemplait le paysage.

— Tu sais bien que ça n'est pas vrai.

— Bien sûr que si. Qui laissait traîner des films d'horreur dans tous les coins ? Qui parlait de légendes macabres et sanglantes vingt-quatre heures sur vingt-quatre, sept jours sur sept ? T'en connais beaucoup, toi, des sœurs qui lisent des histoires d'épouvante à leur frère avant qu'il s'endorme ? Comme si le monde n'était déjà pas suffisamment sombre et terrible.

— La plupart du temps, le monde n'est pas un endroit si sombre que ça, Margot.

— Le « Vampire de Sacramento[1] » ? Jack l'Éventreur ? Jeffrey Dahmer, Ted Bundy[2] ?

Alex ne répondit pas.

— Bon sang, on est des monstres. Tous autant que nous sommes.

— Nous avons tous une part d'ombre, Margot. Toi, moi, Henry, ta vieille voisine, tout le monde. Nous choisissons de ne pas en tenir compte, mais elle est en nous, quoi qu'on fasse.

— Ouais, si tu le dis. En tout cas, dès demain, je ne lis plus que des romans ringards à l'eau de rose.

— Avec des forgerons sensuels et des princesses grivoises ? Mais… il n'y a rien de plus terrifiant !

Alex arrêta la voiture et descendit.

— On ne pourra pas s'approcher davantage. Je vais laisser les phares allumés, ça nous guidera jusqu'au lac. On va prendre ce truc pour briser la glace, d'accord ? dit-il en s'emparant d'un démonte-pneu posé sur la banquette arrière.

---

1. Richard Trenton Chase (1950-1980), tueur en série qui buvait le sang de ses victimes.

2. 1946-1989, tueur en série américain.

Son amie restait silencieuse.

— Tu vas réussir, Margot, je sais que tu en es capable.

— Oui, il le faut.

Tous deux se tenaient près du coffre, animés d'une volonté inflexible.

— Allez, ouvre-le. Fais-le sortir.

Alex obtempéra gauchement.

Un petit garçon en sous-vêtements, bleu de froid et frissonnant, était allongé sur une pile de glaçons. Alex lui avait ligoté les mains. Et là où sa peau était en contact avec les glaçons, des plaies s'étaient formées et se propageaient au reste de son corps.

— S'il te plaît... Margot, bégaya-t-il.

— Henry... dit-elle doucement.

— Non ! Cette chose n'est pas ton frère ! l'avertit Alex d'un ton cassant.

L'enfant rejeta la tête en arrière et siffla. De la fumée noire s'échappa de sa bouche. Le jeune homme s'avança, l'attrapa par la cheville et le tira hors du coffre. Henry atterrit sur le sol dur et gelé, où il se tordit de douleur.

— Ça suffit ! cria Margot en repoussant Alex.

Elle s'agenouilla près du corps de son frère.

— Je sais que tu es là, quelque part, Henry. Et j'ai bien l'intention de te retrouver.

— J'ai... si peur... froid...

— Je sais.

Elle se pencha vers lui et effleura son front. De la fumée jaillit de la bouche du garçon et se métamorphosa en araignée. La bête bondit sur le visage de Margot. Sous le choc, elle se figea un instant. Henry en profita pour se relever et partir vers les bois d'un pas trébuchant.

Au même instant, des phares balayèrent le parking. Le

véhicule à l'approche était aussi bruyant qu'un petit avion volant au ras du sol, son pot d'échappement et son pare-chocs arrière traînaient sur le sol.

— Vas-y ! Rattrape Henry et emmène-le vers le bord du lac ! dit Alex en tendant le démonte-pneu à Margot. Je m'occupe du reste !

— Alex...

— Va !

La jeune fille partit derrière Henry en courant tandis que la Mustang se rapprochait d'Alex.

Derrière le pare-brise fendillé et strié de sang, il reconnut une silhouette familière.

La voiture s'immobilisa à côté du 4 × 4 et les feux arrière, brisés mais encore en état de marche, clignotèrent quand le moteur s'arrêta de tourner.

La portière s'ouvrit et Quinn sortit. Sa blessure au front avait saigné et souillé son blouson en cuir. Un de ses yeux était si enflé qu'il ne pouvait plus l'ouvrir.

— T'as vu mon nouveau blouson ? Plein de sang à cause de toi. C'est pas cool.

— Tu arrives trop tard, Quinn, répondit Alex. Margot est avec Henry.

— Non, vraiment ? Cette fille, c'est ton héros, hein ? railla Quinn tout en contournant la voiture d'Alex. Fichu 4 × 4. Tu emboutis l'arrière de ma Mustang et la tienne s'en sort sans même une égratignure ? Franchement, ces bagnoles n'ont aucun savoir-vivre.

— Arrête ton char, Quinn, on a compris ce que tu étais. Margot est capable de pénétrer votre monde. On sait...

— Tu sais que dalle, espèce de poule mouillée.

Alex gardait les mains enfoncées dans ses poches. Les glaçons qui s'y trouvaient lui engourdissaient les doigts.

Les deux garçons se faisaient face, chacun d'un côté du capot du 4 × 4.

— Tu t'imagines que ta petite amie, cette idiote, est un super héros ? Il suffirait qu'elle se faufile dans l'une des petites pièces de nos immenses territoires pour devenir une putain de justicière ? Franchement, tu sais que dalle, Cole.

— Je sais que tu la crains. Je la sens, ta peur.

Quinn bondit par-dessus le capot et poussa Alex qui tomba à la renverse. Il posa un genou sur sa poitrine et une main sur sa gorge.

— Regarde-moi dans les yeux, toi. Est-ce que tu y vois de la peur ?

Alex se débattait dans l'eau qui avait surgi au-dessus de lui.

Il se noyait.

— Alors, cette peur ? Je crois que tu as saisi, hein ?

Alex s'enfonçait de plus en plus dans les eaux troubles qui le cernaient. L'odeur des algues et la brûlure du sel étaient les seules odeurs présentes. Il sombrait. Oubliant Margot, Henry, sa famille. Il arrêta de se débattre, ses yeux se fermèrent et les battements de son cœur ralentirent.

Le jeune homme allait mourir.

— J'aurais pu t'étrangler à mains nues, dit Quinn. Mais c'est pas plus marrant comme ça ?

Rattraper la créature fut un jeu d'enfant. Elle grelottait, à l'agonie. Et vu le peu de forces qui lui restaient, elle put seulement parcourir quelques mètres avant de s'écrouler lamentablement dans la neige.

Rattraper la créature fut simple. En revanche, l'entendre mettait la jeune fille au supplice.

Alors qu'elle se penchait et prenait le corps presque nu de son frère dans ses bras, la Vore lui dit :

— Margot... tu me fais très mal. Tu ne vois pas que tu es en train de me tuer ? Je ne survivrai pas dans l'eau glaciale.

La jeune fille refusa d'écouter ces paroles faussement désespérées. Elle détourna les yeux du corps de son frère – les bras et le cou parcourus de veines apparentes, les taches noires qui s'étalaient sur le torse et le ventre, les gencives blanches. Mais elle ne pouvait ignorer le froid mortel de sa peau.

Cette créature ne cessait de mentir, mais Margot se demandait si elle n'avait pas raison sur un point : plonger Henry dans l'eau du lac provoquerait-il sa mort ?

La Vore avait pris la place de l'esprit de Henry, mais le corps du petit garçon était encore celui d'un être humain. Si son corps mourait, si sa température tombait trop bas, si son cœur s'arrêtait de battre... alors Henry, le véritable Henry ne pourrait retourner dans son enveloppe charnelle.

Cependant, avait-elle vraiment le choix ?

Margot le transporta jusqu'à la rive et contempla le lac gelé, dont la surface était illuminée par les phares avant de la voiture, lui donnant un aspect irréel.

— Tu vas me tuer, Margot, continuait la Vore. Comme dans ces films que tu m'as obligé à regarder... T'es une meurtrière, Margot, rien qu'une meurtrière...

Elle posa un pied sur l'épaisse couche de glace, le corps épuisé de son frère dans les bras. Quelques centimètres de neige fraîchement tombée recouvraient tout. Margot avança d'un pas traînant. Au centre du lac, la couche de glace serait plus fine.

— Meurtrière... Maman savait que t'étais folle. C'est pour ça qu'elle nous a abandonnés.

— Je vais m'occuper de toi, dit la jeune fille en baissant les yeux vers le visage de Henry. Peu importe ce que tu es, tu ne perds rien pour attendre. Et je n'ai plus peur, tu sais.

Quand elle se retrouva au milieu du lac, elle déposa le corps de son frère sur le sol glacé, sortit le démonte-pneu de sous son manteau et l'abattit sur la glace.

— *Si tu brises la glace*, dit l'enfant d'une voix sans timbre, inhumaine, *nous y resterons tous. Vous mourrez tous les deux, Henry et toi.*

Margot frappa de nouveau la glace.

— Pas de souci, nous mourrons ensemble.

— *T'es vraiment une petite imbécile... Henry et toi mourrez. Pas moi*, gloussa la créature.

Un troisième coup dégagea un gros morceau de glace de la taille d'une bouche d'égout. Margot se servit de son outil comme d'un levier afin d'écarter le bloc. Puis elle prit Henry sous les bras et le tira vers le trou. Le garçon avait si froid qu'il pouvait à peine bouger. Elle le fit entrer dans l'eau, les pieds d'abord.

— *Saleté...* siffla la Vore. *Tu vas le regretter...*

La bouche de l'enfant s'ouvrit et un rictus atroce se forma sur ses lèvres. Des taches noires parsemaient ses gencives blanches ; une spirale de fumée s'échappa de sa gorge et se dressa au-dessus de Margot, formant bientôt une ombre immense qui éclipsait la luminosité lointaine des phares.

La noirceur de la créature, plus sombre que la nuit elle-même, semblait tout consumer autour d'elle. Elle resta un long moment suspendue au-dessus du lac avant de s'engouffrer dans la bouche de Henry, si brutalement que Margot manqua lâcher le corps de son frère.

Elle le tira hors de l'eau. À présent, sa peau paraissait carbonisée, totalement ravagée, mais elle se retint d'éprouver de l'inquiétude ou de la compassion pour lui. Henry, le véritable Henry, était enfermé dans un univers abominable. Elle déposa de nouveau le corps sur la glace, posa ses mains sur son visage et plongea ses yeux dans ceux de la Vore.

— *Viens, petite fille,* railla la créature. *De quoi as-tu donc peur ?*

À cet instant, Margot s'enfonça de nouveau dans les ténèbres.

21

La fête foraine attendait Margot.

Elle se réveilla en position fœtale. Au-dessus d'elle, elle vit une petite fille qui tenait une barbe à papa dans une main et la tête tranchée du petit rouquin dans l'autre. L'enfant posa son pied sur le cou de Margot.

— Vous avez vu ? Elle est de retour, dit la fillette en mordant dans sa barbe à papa. On savait que tu reviendrais nous voir, vu que...

— Vu que t'es une débilos, déclara le petit garçon qui se tenait à côté de la fille.

Il mastiquait activement un long fil de réglisse à la cerise, tout en remontant ses lunettes sur son long nez. Des verres épais grossissaient ses yeux sombres et sauvages. Des dizaines d'autres enfants s'étaient regroupés autour d'eux.

— Il a raison, reprit la fillette en appuyant son pied sur la croûte qu'avait Margot sur le cou. Berzerko était tellement furieux que tu t'échappes qu'il s'en est pris à ce pauvre gosse, ajouta-t-elle en agitant la tête décapitée comme s'il s'était agi d'un jouet.

Une autre petite fille arriva vers eux en sautillant.

— Maintenant que t'es là, on t'emmène au chapiteau.

— On a tellement de trucs à te montrer, enchaîna le petit garçon à lunettes. Tu vas pas en croire tes yeux !

— Elle aura plus d'yeux quand Berzerko en aura fini avec elle ! cria un autre enfant.

La foule éclata de rire. Le cou de Margot palpitait de douleur sous le pied de la petite fille blonde, qui appuyait plus fort. Une autre fillette attrapa Margot par les chevilles et le garçon aux lunettes les ligota avec des fils de réglisse – des liens qui lui brûlaient la peau, comme de la glace. Elle serra les dents et étouffa un cri. La puanteur de sa peau couverte d'ampoules lui vint aux narines.

Les autres enfants la soulevèrent de terre. Un froid cuisant se dégageait de chacun des petits doigts répugnants qui entraient en contact avec sa peau, un froid qui cherchait à la paralyser.

— Au chapiteau ! Au chapiteau !

La foule la porta jusqu'à une immense tente d'où sortait une odeur fétide. Des hurlements et des lamentations s'en échappaient. Margot devina que si elle y entrait, elle n'en ressortirait plus jamais. Car ce qui s'y trouvait s'apparentait à la folie la plus totale qui soit.

Elle ferma les yeux et s'efforça de se calmer. Les battements de son cœur ralentirent et son esprit s'apaisa. La morsure glaciale qui parcourait ses chevilles se dissipa et une odeur de cerises pourries emplit l'air.

— Hé ! s'exclama le petit garçon aux lunettes. Qu'est-ce que tu fais de mon réglisse !?

Margot libéra ses jambes et donna un bon coup de pied vers l'avant, qui atteignit la mâchoire d'une fillette. Le visage de cette dernière s'affaissa, comme du papier mâché, de la fumée s'en échappa et la petite tomba à la renverse.

Les autres enfants, stupéfaits, lâchèrent Margot. Elle se releva d'un bond, les repoussa et repartit en courant en direction de l'allée centrale. Elle dépassa les stands, les baraques de sucreries, les manèges pour petits, la grande roue et le grand huit, les toboggans et les autotamponneuses...

Elle traversa le manège pour accéder au palais des glaces. Elle sentait derrière elle les yeux de créatures invisibles rivés sur elle. Derrière la mélodie de l'orgue de barbarie, elle entendait les grognements sourds de monstres affamés.

Le cylindre bariolé tournait plus vite que la première fois. Dès qu'elle y posa le pied, elle perdit l'équilibre. Elle virevoltait à l'intérieur de la roue, incapable de se relever.

Coudes, genoux, chevilles, crâne, menton... toutes les parties de son corps se cognaient au cylindre tourbillonnant tandis qu'elle s'efforçait de rejoindre l'autre extrémité de la surface glissante en rampant. Une fois qu'elle y parvint, le klaxon du clown déchira l'air.

Derrière elle, à l'entrée du cylindre, elle aperçut son visage blanc et terreux, ses cheveux verts et frisés et ses vêtements tachés de sang. Berzerko lui fit un grand sourire et pénétra dans la roue tout en agitant sa hachette. Le cylindre avait beau tourner, cela ne semblait pas gêner sa progression et il avança d'un pas assuré.

En titubant, Margot se rapprocha du bord de la roue. Le haut de son corps se retrouva par-dessus le cylindre, mais ses jambes s'emmêlèrent et restèrent à l'intérieur ; elle manqua être aspirée de nouveau dans la roue. Un dernier mouvement brusque en avant la projeta vers le sol du palais des glaces, décoré de motifs en damier. Elle se redressa difficilement puis courut vers la salle des glaces.

Des reflets déformés l'accueillirent de nouveau puis cédèrent la place à des images d'épouvante : des araignées luisantes, des morts bien-aimés, et une peur nouvelle... le feu. À la vue des flammes bondissant derrière les miroirs, son pouls s'accéléra. Mais Margot n'avait qu'une idée en tête : retrouver son frère.

— Henry ! Est-ce que tu m'entends ? criait-elle. Où es-tu ?

Le grincement d'une lame de hachette contre une surface vitrée l'obligea à s'enfoncer dans le labyrinthe en courant. Elle ne cessait de tomber sur des voies sans issue, cernée par des reflets de plus en plus atroces.

Soudain, le clown tueur fut devant elle. Aucune chance d'en réchapper, cette fois. Nulle part où s'enfuir. Les miroirs l'emprisonnaient. Désespérée, Margot donna un coup à son assaillant et son poing s'enfonça profondément dans le ventre de Berzerko. La morsure du froid courut le long de son bras, et quand elle retira sa main, ses doigts étaient recouverts de glace. Le clown leva sa hachette avec un sourire joyeux. Il se sentait invincible dans ce lieu, parmi les miroirs.

Les miroirs...

Margot leva de nouveau son poing douloureux ; pourtant, cette fois, elle ne frappa pas le clown, mais le miroir le plus proche de lui. Le verre se fendit et le clown trébucha. La main de la jeune fille saignait abondamment mais elle frappa de nouveau. Le miroir vola en éclats et tandis que des bris tombaient sur le sol, le maquillage du clown se fendilla ; sous la peinture séchée, les os apparurent. Berzerko porta sa main gantée à son visage, donnant l'impression de vouloir colmater un barrage en train de s'effondrer.

Margot en profita pour briser un autre miroir et le front du clown se fendit en deux, laissant échapper de la fumée. La jeune fille poussa Berzerko sur le côté et courut vers la sortie du palais des glaces, indiquée par un halo lumineux.

Elle entendait les chaussures de son poursuivant avancer lourdement derrière elle. La jeune fille sortit en trombe du palais. Une brise légère agita ses cheveux et de la bruine tombait sur une pelouse bien entretenue. Des parterres de fleurs bordaient la route qui montait vers une colline.

Les joues striées de larmes, Margot frotta ses mains tremblantes dans l'herbe fraîche. Berzerko allait arriver d'un instant à l'autre. Mais elle était si épuisée qu'elle devait d'abord se reposer, ne serait-ce une minute.

Au bout d'un moment, voyant que le clown ne l'avait pas suivie, elle comprit. Il ne *pouvait* pas la suivre. Chaque univers était séparé des autres. Ce domaine avait ses frontières, que seul Henry pouvait traverser.

Et qu'elle pouvait franchir elle aussi.

À présent, elle se trouvait devant les grilles du cimetière de Cutter's Wedge. En haut de la colline, elle aperçut deux silhouettes en vêtements de deuil, blotties sous un parapluie noir. Elle les reconnut aussitôt.

— Maman ! Papa !

Elle courut jusqu'à eux mais ils baissèrent la tête et s'éloignèrent dans l'épais brouillard qui encerclait le cimetière. Le temps qu'elle atteigne le sommet de la colline, ils avaient disparu. Margot tomba à genoux et lut l'épitaphe gravée sur une pierre tombale en marbre.

Henry Thomas Halloway
Notre fils bien-aimé
Enterré pendant la Nuit des Ombres

La dernière ligne avait été gribouillée avec du sang. Elle était encore humide.

— Ce n'est pas la réalité... murmura Margot pour s'en convaincre.

Malgré tout, jamais elle n'avait éprouvé une telle tristesse. Elle s'agenouilla devant la tombe de son petit frère et se mit à creuser.

Elle griffait le sol de ses doigts ensanglantés, en s'efforçant d'oublier la douleur. Des vers et des asticots grouillaient dans la boue et sur ses mains, se tortillant pour grimper sur ses poignets et ses bras. Elle réprima un violent haut-le-corps. Elle tâcha de les chasser, mais dès qu'elle en touchait un, il se transformait en bouffée de fumée. Et elle avait beau les repousser, il en venait toujours plus, rampant dans la terre ou sur ses mains.

Pourtant, elle n'arrêta pas de creuser, remuant et écartant les mottes de terre. Ses mains finirent par toucher un objet dur. Elle repoussa doucement la boue qui le recouvrait et découvrit un cercueil.

Malgré la pierre tombale usée par le temps qui le surplombait, le cercueil avait l'air neuf. Elle souleva le couvercle et découvrit Kappi le koala, sale et élimé. Elle comprit que Henry était passé par là. Tout ce qui l'entourait représentait son esprit effrayé. Les Vores donnaient forme à ces peurs, mais il y avait aussi d'autres choses que l'enfant avait modelées, à l'image de ses frayeurs. Le cercueil appartenait au monstre qui était en lui, mais le koala appartenait à Henry. Un détail qui donnait espoir à Margot, même si elle comprenait que son frère avait laissé sa peluche derrière lui. Qu'allait-il encore perdre avant de se perdre à jamais ?

— J'arrive, chuchota-t-elle au koala.

Elle grimpa dans le cercueil et s'allongea sur le dos. Puis elle referma le couvercle et serra Kappi contre elle.

Soudain, le cercueil se redressa à quatre-vingt-dix degrés et Margot se retrouva en position verticale. Un bouton rouge assorti d'une flèche pointant vers le bas apparut devant elle, à hauteur de sa taille, et une mélodie de jazz, grêle et douce, surgit à ses oreilles. Une lumière fluorescente clignotait au-dessus de sa tête.

Le cercueil venait de se transformer en ascenseur. Un instant, elle resta interloquée. Mais tandis que les divers univers par lesquels elle passait paraissaient totalement séparés les uns des autres, elle savait qu'ils avaient tous un point commun : Henry et ses peurs.

Elle appuya sur le bouton et entendit le mécanisme se mettre en marche. La cabine descendit, puis les portes s'ouvrirent avec un *ding* discret.

Margot sortit et se retrouva dans un couloir d'hôpital vide et aseptisé.

— Henry ! appela-t-elle.

Sa voix se répercuta à l'autre bout du corridor.

L'endroit était étrangement silencieux ; aucun bruit, aucun mouvement, ni même les bips réguliers des moniteurs ou le chuintement grinçant des chariots médicaux.

Elle entra dans un bureau désert et à peine éclairé, où plusieurs graphiques s'étalaient sur une table. Elle s'avança, en prit un. L'en-tête indiquait : « Hôpital Saint-Joseph, Boston ». Au-dessous, le nom du patient : « Henry Halloway ».

À l'âge de cinq ans, son frère avait été hospitalisé durant deux semaines, suite à une opération. Sans faire exprès, Margot l'avait frappé avec une branche d'arbre. Un éclat de bois s'était logé dans l'œil de l'enfant et avait provoqué une infection qui avait failli le rendre aveugle.

Elle repartit dans le couloir, dépassa des pièces toutes plus vides les unes que les autres. Sur l'un des lits, elle aperçut une petite mare de sang étalée sur un drap blanc. Dans une autre pièce, des outils chirurgicaux pointus reposaient sur un plateau. Comme si l'esprit de Henry ne pouvait se remémorer les fleurs et les cartes qui avaient décoré sa chambre d'hôpital, la gentille infirmière qui lui lisait des histoires, la tendresse d'une famille réunie autour de lui. La présence de la Vore interdisait à l'esprit de son frère d'accéder à des souvenirs heureux, qui ne soient pas imprégnés de douleur et d'un sentiment de perte.

— C'est ce que tu veux, demanda Margot à haute voix, tout en s'armant d'un long scalpel. De la douleur ? Tu l'auras voulu !

Arrivée à une intersection où le corridor formait un T, elle entendit un bruit de succion provenant d'une petite pièce obscure située sur sa droite.

— Il y a quelqu'un ?

Elle courut vers la porte, l'entrouvrit et jeta un coup d'œil à l'intérieur.

La lumière du couloir se répandit sur une femme immobile, assise dans un fauteuil à bascule. Elle serrait contre elle un petit paquet qui se tortillait.

Un bébé qui tétait sa mère.

— Bonjour ? risqua la jeune fille d'une voix grêle, qui lui fit penser à du vieux parchemin.

La femme ne répondit pas, mais le bébé, en entendant Margot, s'était arrêté de téter. Le cœur battant, elle chercha l'interrupteur à tâtons et éclaira la pièce.

La mère devait être morte depuis des heures, les yeux grand ouverts, la langue pendante, enflée et violacée. Mais son enfant avait continué à se nourrir, ses minuscules mains griffant la chair blême et affaissée.

Margot recula. L'enfant tourna lentement la tête vers elle et la dévisagea de ses yeux jaunes, aux pupilles de chat.

Elle le fixa, fascinée, puis le vit qui se laissait tomber sur le sol. Il roula sur le ventre et se mit à glisser dans sa direction, le cou tendu. Margot entendait la langue du bébé démon suçoter son palais, comme s'il cherchait à apaiser sa faim. Elle sortit de la pièce à reculons et poussa un hurlement de douleur : un autre bébé démon venait de plonger ses crocs dans sa cheville, et une dizaine d'autres arrivaient vers elle en rampant.

Un instant plus tard, ils furent sur elle, griffant et mordant. Les cris perçants de la jeune fille se répercutaient contre les murs blancs, et les monstres paraissaient se délecter de la terreur qu'elle éprouvait. Elle frappait au hasard avec son scalpel, mais ses assaillants étaient trop petits et trop près du sol, et elle préférait ne pas avoir à s'accroupir devant eux par peur qu'ils ne s'attaquent à son visage et à sa gorge. Elle se mit à leur donner des coups de pied, mais ils revenaient aussitôt à la charge et la mordaient de nouveau, comme s'ils cherchaient à se *nourrir*. Elle s'enfuit en courant, serrant le scalpel dans son poing, à bout de souffle. Le couloir semblait s'étendre à l'infini.

La jeune fille finit par jeter un regard derrière elle.

Les démons avaient disparu.

Elle perçut une respiration rauque venir d'une pièce toute proche. Elle pénétra dans une chambre remplie de centaines de box séparés les uns des autres par des rideaux blancs, dont le bas était ourlé de brume. Tandis que Margot s'approchait du premier rideau, elle entendit un enfant hurler. Une haute silhouette munie d'une aiguille se déplaçait derrière le rideau.

D'un geste brusque, elle tira sur le rideau, et découvrit un lit d'hôpital vide recouvert d'un drap blanc immaculé. Un autre enfant cria sur sa gauche ; la même sinistre silhouette rôdait derrière un autre rideau. Elle l'ouvrit. Cette fois encore, le box était vide.

Soudain, Margot se retrouva face à une chirurgienne vêtue d'une blouse grise et d'un calot. Un masque couvrait son nez et sa bouche, de la fumée sortait de ses yeux noirs. Elle se dirigea vers la jeune fille, avec, dans l'une de ses mains gantées de latex, une longue seringue. Elle l'activa et un jet acide de fluide vert jaillit vers le sol et grésilla sur les carreaux.

— C'est l'heure de ta piqûre, annonça-t-elle.

— Ne t'approche pas, rétorqua Margot en brandissant son scalpel.

— Tu es en retard pour ton opération, l'infection gagne du terrain.

— Quelle infection ?

— Ton humanité, répondit la chirurgienne d'une voix aussi lisse qu'une plaque d'acier. Un poison, un cancer en phase terminale.

Margot tenta de donner un coup de scalpel à la femme, mais celle-ci s'écarta sans mal.

— Je vois. Une patiente difficile… j'en ai vu d'autres. Gardes !

Deux assistants bâtis comme des gorilles surgirent de derrière les rideaux. Margot se défendit avec son scalpel, leur égratigna les avant-bras, mais les deux hommes l'attrapèrent sans peine. La jeune fille hurla et se débattit tandis qu'ils la traînaient vers la salle d'opération. La chirurgienne et une infirmière les suivaient, pareilles à des fantômes livides.

Les assistants la soulevèrent pour la déposer sur la table d'opération, où ils la maintinrent en place.

— Non ! Lâchez-moi ! hurlait la jeune fille en se tortillant dans tous les sens.

Sa seringue à la main, la chirurgienne se pencha au-dessus de Margot. La jeune fille poussa un cri féroce et dégagea l'un de ses bras. L'infirmière la saisit à la gorge et l'obligea à reposer sa tête sur la table, tandis que les deux assistants la tenaient plus fermement.

Une terreur sans nom submergea Margot. Elle se sentait sombrer. Elle allait échouer… ne parviendrait pas à sauver son frère…

Soudain, une petite chose humide effleura sa joue gauche. Elle jeta un coup d'œil et aperçut, tout près d'elle, sur la table, un museau qui remuait et des moustaches.

— Général Kwik ?

Le hamster se blottit contre elle et renifla la poche où elle avait rangé le koala en peluche de Henry.

Elle comprenait, à présent.

En arrivant dans cet endroit, Henry avait emporté le souvenir de Kwik avec lui, tout comme il avait apporté Kappi. La peluche et l'animal lui donnaient de l'espoir.

Mais la Vore le dépouillait peu à peu de tout ce qui pouvait l'aider, afin que Henry ne devienne plus qu'une ombre. L'enfant avait déjà perdu Kappi. Il avait perdu Kwik. Lui restait-il un peu d'espoir avant de succomber à ce monde ?

— Je ne te laisserai pas ici, Henry. Pas cette fois.

Elle arrêta de se débattre car ses crises de terreur ne faisaient que donner davantage de pouvoir au monstre qui cohabitait avec son frère.

— Allez-y, dit-elle. Vous pouvez me découper en morceaux si ça vous chante, je n'ai pas peur de vous.

La chirurgienne respirait la haine la plus absolue, mais sa main trembla, comme parcourue par un courant électrique. L'infirmière lui attrapa le bras pour essayer de mettre fin aux convulsions.

— Qu'est-ce qui se passe, docteur ? se moqua Margot. On perd son sang-froid ?

La chirurgienne dégagea violemment son bras et frappa, non pas la jeune fille, mais l'infirmière. Les assistants relâchèrent leur pression et Margot en profita pour se libérer, renversant les instruments au passage. Aiguilles, scalpels et pinces dégringolèrent sur le carreau.

La jeune fille descendit de la table et se précipita dans le couloir, derrière le hamster qui s'enfuyait.

Elle tourna dans un autre couloir et arriva en trébuchant dans une petite niche où des draps blancs étaient empilés sur le sol, contre un mur. Ils virèrent au rosé, puis au rouge et enfin au pourpre.

Kwik se terra dans la pile et disparut.

— Qu'est-ce que… ?

Dans le couloir, elle entendit des pas qui se rapprochaient.

Elle plongea les doigts dans les draps sanglants, réprimant une envie de vomir quand leur chaleur humide entra en contact avec sa peau. Elle les écarta et découvrit, encastré dans le mur, un conduit qui servait à évacuer le linge sale.

La chirurgienne apparut à l'angle du couloir. Elle ne portait plus de masque et, à la place du nez et de la bouche, des tourbillons de fumée formaient un trou sombre. L'une de ses mains gantées de latex brandissait une scie à os électrique.

Aucune autre issue ne s'offrait à Margot.

Elle inspira profondément et plongea dans le conduit.

22

Malgré le rugissement des profondeurs et le martèlement du sang à ses oreilles, Alex entendit un rire.

Le rire de Quinn.

Un rire de Vore.

Il s'obligea à l'écouter. Il se força à *entendre* le plaisir cruel éprouvé par la créature.

Tu vas voir, espèce d'ordure. Continue de rire…

Le jeune homme fit un large mouvement de brasse et se propulsa vers le haut. Il se rapprocha de plus en plus vite de la surface, tandis que la pression qui avait envahi ses oreilles s'atténuait. Le rire se rapprocha lui aussi et, bientôt, l'odeur de chewing-gum domina la puanteur des poissons et des algues.

Alex brisa la surface de l'eau imaginaire dans laquelle il avait cru se noyer. Il respira, se ressaisit, mais garda les yeux fermés afin que Quinn ne s'aperçoive pas qu'il avait repris conscience. Lentement, il glissa une main dans sa poche. Ses doigts se refermèrent sur les glaçons. Il lui suffisait d'atteindre la joue, le cou, ou n'importe quel autre bout de peau exposée…

Il sortit vivement sa main de sa poche et bombarda la joue de Quinn de glaçons. Stupéfait, celui-ci lâcha Alex et recula. Mais quelque chose n'allait pas. Quinn ne hurlait

pas de douleur comme l'avait fait
pâle et conservait son aspect habit
Quinn porta la main à sa joue.
— Des glaçons ? C'est quoi, la
liste ? Un cornet rempli de neige ?
Alex essaya de se relever mais
sol.
— Ouais, je me rappelle, repri
Henry m'a raconté ce que tu lui
neige. Tu lui as vraiment filé la
encore compris ? Il n'est pas en
Moi, c'est différent, je me suis a
Quinn se baissa, ramassa un
frotta le visage sans tressaillir.
— J'ai connu pire, sur le ter
Pourtant, Alex remarqua qu
res striaient la plaie que Quinn
avait été en contact avec la pea
neige.
— Et le dernier truc que
mon visage, ajouta Quinn en
le regardant droit dans les y
quand je te dis ça, Superman
— Je me sens humain,
homme.
Au même instant, il plaqu
et appuya sur la blessure en
en tenant sa tête entre ses
Alex se releva et donna
tempe du garçon. Le bout
crâne avec un bruit sourd.
créature serait sur pied da

La lumière des phares de la voiture baissait – la batterie devait se décharger… Bientôt, Alex se retrouverait dans le noir complet, échoué sur le lac en compagnie de deux corps comateux et d'une Vore rôdant dans les ténèbres.

Soudain, la glace craqua de part et d'autre de ses pieds. Il s'immobilisa et respira profondément.

Margot et Henry n'étaient plus qu'à trois mètres de lui, mais Alex avait l'impression qu'un gouffre les séparait. Quand il aperçut le trou dans la glace et l'eau noire qui clapotait, il manqua défaillir. Mais les deux corps qui reposaient tout près l'obligèrent à se ressaisir.

Margot s'était effondrée sur le corps de son frère, et sa joue reposait contre la poitrine de l'enfant. Celui-ci, étalé dans une position bizarre, ressemblait à un personnage de dessin animé fantaisiste. Sa peau, couverte de plaques noires, avait viré au violet. Deux de ses orteils avaient noirci et ses doigts n'allaient pas tarder à suivre. Alex ne savait pas s'il s'agissait de gelure véritable, ou si sa peau réagissait ainsi à cause de la Vore. Le petit corps était agité de convulsions à peine perceptibles.

Il était mourant…

Alex ôta son blouson et le jeta vers l'enfant. Mais le vêtement atterrit sur la droite de Henry.

— Encore heureux que tu sois pas remplaçant quarterback dans mon équipe, Cole, cria une voix derrière lui. Tu lances comme une fille.

Alex regarda par-dessus son épaule. Quinn se dirigeait vers lui à grands pas. Dans la pâle lumière des phares, il vit que le sportif avait déchiré les manches de son blouson afin d'en entourer ses pieds sanglants.

— Tu sais quoi, Cole ? T'es une lavette. Tu l'as toujours été et tu le seras toujours. Mais t'es pas un imbécile, je te l'accorde, ajouta-t-il en indiquant ses pieds tailladés. J'avoue que je t'ai pas vu venir, sur ce coup-là. T'as fait tes petites recherches, à ce que je vois.

— Oui, et j'ai aussi bossé pour toi, mais désormais, je ne fais plus les devoirs des lâches dans ton genre.

— Lâche ? C'est un peu fort, de la part d'un morveux qui a la trouille d'entrer dans sa baignoire…

La Vore avança en boitillant. La glace craqua et gémit sous son poids. Six mètres les séparaient à présent.

— Ouais, rapproche-toi et on prendra un bain.

Quinn fit un pas et la glace craqua de nouveau. Une mince fissure se forma entre les deux garçons.

— Je sens ta peur.

Tout sarcasme avait disparu de la voix de Quinn. La Vore avait pris le relais, et un timbre rauque se superposait à celui de Quinn.

— T'as déjà senti une rose, Alex ? Vraiment senti ? Plongé le nez dans les pétales et inspiré ? L'odeur est enivrante. Et tu sais pourquoi ?

La Vore se rapprocha. La glace crissa sous ses pas.

— Parce que si tu plonges ton nez dans ses pétales et respires une rose, que tu t'imprègnes de sa chair, de la terre et de sa beauté, tu perçois l'odeur de la mort. Une rose ne pense pas, pas comme les êtres humains. Mais elle ressent les choses. Elle ressent que la fin est proche dès qu'elle a éclos. Et elle a peur. La rose est parfumée quand elle est terrifiée à l'idée de sa mort prochaine. C'est l'odeur que tu dégages ce soir, Alex. Une odeur capiteuse.

Alex recula d'un pas et entendit la glace céder derrière lui.

Au même instant, la lumière des phares faiblit puis disparut complètement.

23

Le conduit obscur semblait ne pas avoir de fin. Et l'esprit de Margot, qui n'en pouvait plus, énumérait rapidement toutes les choses dont son frère avait peur, afin d'imaginer dans quel autre territoire de ce paysage mouvant elle risquait d'arriver. Dégringolait-elle vers une terrifiante prison peuplée de détenus mutants ? Allait-elle se retrouver au beau milieu d'un océan rempli de requins géants ? Henry était un petit garçon plein d'imagination et les possibilités étaient nombreuses.

Sans qu'elle s'y attende, le conduit s'ouvrit et elle atterrit sur une pile de chaussures pour femmes. Sentant le talon d'une botte en cuir marron lui rentrer dans le ventre, elle laissa échapper un grognement de douleur.

L'endroit ne ressemblait pas à l'enfer auquel elle s'était attendue.

Elle souleva sa chemise et examina la marque rouge laissée sur sa peau, puis jeta la botte de l'autre côté de la réserve miteuse et encombrée. Tout en se frayant un chemin au milieu de centaines de chaussures, elle se demanda à quoi pourrait ressembler la damnation éternelle parmi des escarpins, des bottes de cheval et des baskets puantes.

Kwik sortit précipitamment du tas de chaussures, grimpa le long de la chemise de Margot et se blottit dans son cou, tandis qu'elle avançait entre d'innombrables rangées de boîtes à chaussures.

Comme l'hôpital, ce lieu semblait abandonné et désespérant. Elle souleva les couvercles de quelques boîtes, mais n'y trouva que des chaussures.

Elle arriva à l'étage d'un grand magasin. Margot reconnut l'endroit : le rayon chaussures pour femmes, au premier étage du centre commercial Burlington ; là où leur mère les emmenait acheter leurs vêtements de rentrée au mois d'août. Pourquoi Henry aurait-il eu peur de ce lieu ?

Soudain, elle se souvint.

Henry avait quatre ans. Ils étaient venus dans le centre commercial. Margot et sa mère marchaient au milieu de la foule. Elles s'étaient retournées et n'avaient plus vu le petit garçon. Elles l'avaient cherché partout, courant dans tous les sens, hurlant son nom. Margot avait fini par le découvrir dans le rayon pour hommes, où il s'était réfugié parmi des manteaux de laine, recroquevillé et paralysé, en train de sangloter.

« Maman m'a perdu… elle m'a perdu… perdu… perdu… »

À présent, ils étaient de retour dans ce lieu, et leur mère était partie pour de bon. Arrachée de leur vie comme un membre que l'on arracherait à un corps.

— Margot…

Une voix résonna à travers la brume. Une voix calme, qu'elle connaissait bien…

Margot distinguait les courbes de l'escalator et aperçut une silhouette qui montait vers elle. La jeune fille reconnut ses contours avant même que le corps tout entier n'apparaisse.

Sa mère.

Elle éprouva une envie irrésistible de traverser la brume

et de courir au-devant de cette belle femme, de l'étreindre, de sentir le chatouillis de ses longs cheveux caressant sa joue. Mais la température baissa instantanément. Un vent froid et mortel souffla à travers le brouillard et les montants pour vêtements se recouvrirent de givre. Cette créature n'était *pas* sa mère.

— Margot ? appela-t-elle, imitant la voix gentille de l'absente. Tu es là-haut, chérie ? On m'a dit que tu voulais me voir.

La jeune fille fila se cacher derrière un mannequin et regarda la femme se diriger vers le rayon chaussures, ses talons claquant à un rythme régulier sur le sol de marbre. Soudain, la tête du mannequin pivota sur le corps sans vie. Des yeux rougeoyants la dévisagèrent.

— Je vois... dit sa mère, avant de s'immobiliser et de faire demi-tour. Comme ça, tu te caches, Margot ? Je te vois, ma chérie.

Margot s'élança en direction de l'escalator, titubant dans le brouillard frigorifiant. Derrière elle, les talons de la créature cliquetaient posément dans la brume. Arrivée en haut de l'escalator, la jeune fille trébucha et dégringola jusqu'à la dernière marche. Le rez-de-chaussée du magasin était noyé dans une obscurité oppressante.

Il n'y avait plus ni haut ni bas.

Seulement les ténèbres.

— Henry ? Tu m'entends ? appela-t-elle.

Elle entendit des reniflements étouffés venant d'un portant à vêtements tout proche. Elle y courut, écarta deux manteaux et là, blotti et tremblant, se tenait Henry.

Son cœur se gonfla d'amour.

Elle rampa sous le portant.

— Coucou, mon bonhomme, dit-elle doucement, tout en caressant les cheveux fins de l'enfant. Je t'ai retrouvé.

Elle se pencha lentement vers lui et lui embrassa la joue. Elle était douce, chaude et cela lui fit du bien.

Le petit garçon trembla de plus belle.

— T'es pas Margot, chuchota-t-il. T'es un monstre. Il n'y a que des monstres, ici.

Il serrait une photo contre lui. La photo de famille prise à la fête foraine. Henry, Margot, leur père et leur mère. C'était sa dernière lueur d'espoir, la dernière miette qu'il refusait d'abandonner.

Les moustaches de Kwik chatouillèrent la nuque de Margot. L'animal dévala son bras et rejoignit celui du petit garçon. Celui-ci le regarda faire. Puis un sourire se dessina sur ses lèvres. Margot sortit le koala en peluche de sa poche et le tendit à son frère.

— Nous sommes réels, Henry. Kwik est réel. Kappi aussi. Je vais essayer de te sortir de là.

— Et maman ? Elle va venir avec nous ? Quand est-ce qu'elle va rentrer à la maison ?

— Je...

Elle voulait le réconforter en lui mentant. Mais elle n'en fit rien. Ce territoire de la terreur était bâti sur des mensonges et il ne fallait pas en rajouter.

— Je ne sais pas, Henry, reprit-elle. Je dois te donner l'impression que je suis capable de tout t'expliquer, mais c'est pas vrai. Maman nous a laissés et je ne sais pas pourquoi. J'aimerais pouvoir te dire que tout va s'arranger. Mais elle est partie, Henry. Elle est partie et je ne sais pas si elle reviendra un jour.

— Elle nous aime plus, alors ?

— Je... commença Margot d'une voix étranglée. Je ne

sais pas. Mais moi, je t'aime, Henry. Je t'aimerai toujours. Et plus jamais je ne te quitterai.

L'enfant se pressa contre sa sœur et la serra dans ses bras. La chaleur qu'il dégageait redonna des forces à Margot.

— J'ai envie de rentrer à la maison.

— Mais tu y es, mon cher enfant, répondit la voix de sa mère qui venait de derrière un portant de vêtements. Tu es chez toi ici, avec maman, à ta place.

24

Un gros bloc de glace se brisa derrière Alex. Le jeune homme glissa et se retrouva à genoux.

— Je voulais juste te noyer dans ta peur, Cole, dit Quinn de sa voix humaine. Mais on dirait que tu cherches de vraies sensations, là ? ajouta-t-il en riant. Le genre de fait divers inoubliable.

Alex s'efforçait de rester debout sur un morceau de glace branlant, tandis que la fissure s'élargissait autour de lui.

— « Un adolescent perturbé assassine sa petite amie avant de se donner la mort », poursuivit Quinn. Tu imagines les gros titres ? Les habitants de Cutter's Wedge n'ont jamais d'histoires juteuses de ce genre à se mettre sous la dent, pas comme dans les grandes villes. On ne parlera que de toi pendant des années !

Alex se mit à ramper vers les corps de Margot et de Henry, qui se trouvaient sur la plaque voisine.

— Ils vont interviewer tes parents, tes profs... Ils fouineront dans ton casier et dans ta chambre. J'ose pas imaginer ce qu'ils y trouveront...

Alex était parvenu à rejoindre ses amis. Il posa la main sur le dos de Margot. Elle respirait encore. Elle était vivante. Toujours dans le territoire de la terreur avec Henry.

Le corps de l'enfant, en revanche, paraissait cadavérique.

Il l'attrapa fermement par les chevilles et, à quatre pattes, entreprit de tirer, lentement, le frère et la sœur vers la rive.

Quinn s'approcha d'un pas seulement, craignant, comme Alex, de briser la glace.

— Tu risques pas d'atteindre le bord sans en lâcher un avant, fit observer le capitaine.

— Tu as peut-être raison. Mais je vais les mettre tous les deux en sécurité.

— En sécurité ? Cette fille ? Franchement, elle ne te sera plus vraiment utile comme petite amie si son cerveau est grillé.

Alex comprit que si le contact physique entre Margot et Henry était rompu durant leur transe, elle pourrait ne jamais revenir…

— Merci pour l'info, Quinn… c'est toujours bon à savoir.

— On s'en fout, de ce que tu sais ou pas, c'est comme si t'étais déjà mort…

Alex se redressa et continua de traîner son fardeau en direction de la rive. Au bout de quelques pas, la couche de glace oscilla et lui fit perdre l'équilibre. Le jeune homme lâcha la cheville de Henry afin de ne pas tomber, une main posée sur le sol. Puis ses doigts effleurèrent un objet métallique. Le démonte-pneu qu'il avait passé à Margot.

— On t'a pris ta petite amie, déclara Quinn en contournant la partie la plus fragile de la glace. On a pris son petit frère. Et nous en avons pris beaucoup plus encore. Un nombre inimaginable… précisa-t-il, tandis que des bouffées de fumée noire sortaient de sa bouche, de ses yeux, et serpentaient vers le ciel.

Comme enragé, Alex ramassa le démonte-pneu et se

redressa, avant de foncer sur Quinn et de faire violemment retomber la barre de métal sur lui. Quinn leva le bras pour parer le coup et le démonte-pneu le percuta juste au-dessous du coude. La créature poussa un cri strident, tout en massant son avant-bras meurtri. Mais Alex ne céda pas. Il plongea sur Quinn et les deux garçons tombèrent ensemble sur le sol bien dur. La glace craqua sous Quinn et une giclée d'eau jaillit au-dessus d'eux.

Alex brandit de nouveau son arme de fortune. Couvert d'eau glaciale, il tremblait de tout son corps. Il abaissa la barre de fer une seconde fois, mais au même instant, Quinn lui mit un coup de poing dans la gorge.

Alex manqua s'étrangler, se mordit la langue et lâcha le démonte-pneu. Il roula sur le côté en se tenant le cou, incapable de reprendre son souffle. Quinn ramassa l'arme de sa main gauche. Son autre bras pendait, ballant.

— Espèce de taré, dit-il en agitant lentement la barre de fer. Tu te rends compte de la chance que t'as eue ? Dire que t'aurais pu frapper le bras qui me sert à lancer le ballon...

Il transperça la semelle d'Alex de la pointe effilée de l'arme. Alex grogna de douleur, tandis que d'autres fissures apparaissaient sur la glace. Quinn prit le démonte-pneu des deux mains et le brandit au-dessus du torse du garçon, pointe vers le bas, comme pour l'empaler.

— J'ai *tellement* envie de te l'enfoncer dans le cœur. Mais j'ai besoin que ton cadavre ne soit pas trop amoché... comme ça, quand ils sortiront ton corps du lac, ils croiront que ta copine s'est pas laissée faire.

Il souleva le pied sanglant d'Alex et tira le garçon jusqu'à une fissure.

— Allez, on va t'aider à te noyer.

De sa jambe valide, Alex faucha les chevilles de Quinn.

Celui-ci s'écrasa sur une plaque de glace si fine qu'elle céda sous son poids. Il tomba dans l'eau glaciale, tâcha de s'agripper au rebord, glissa dans l'eau. Seuls ses bras et sa tête restaient en surface.

Alex, toujours étendu sur le dos, n'osait se relever. Il était terrifié à l'idée que la glace s'affaisse sous son poids. Il essaya de s'éloigner de Quinn en roulant sur le côté, mais une main le saisit par la cheville. Quinn sombrait et cherchait à entraîner Alex avec lui.

Le jeune homme donna des coups de pied dans les doigts de son adversaire, luttant pour s'agripper à un pan de glace. En pure perte. Impuissant, il glissait vers la Vore dont la peau se noircissait. Vers l'eau trouble. Vers la mort.

25

Margot écarta la rangée de manteaux du portant et se retrouva face à la créature qui avait pris l'apparence de sa mère.

— Margot Marie Halloway, lança-t-elle, les mains sur les hanches. Tu peux m'expliquer ce que tu fais dans cet endroit ?

Elle sourit. Un sourire pareil à une fissure dans la glace.

Cherchant désespérément à se cacher, Henry se glissa derrière sa sœur.

— Henry ? reprit leur mère. Tu me fais honte, vraiment. Nous avons déjà discuté de ce problème, tu n'as pas oublié ? Tu sais ce que je t'ai dit à propos des visiteurs…

— Ferme-la, l'interrompit Margot. J'ai pas besoin d'être invitée. Je connais votre petit jeu, maintenant, et je ramène mon frère.

La créature tendit une main lisse et délicate vers elle.

— Je ne suis pas une mère parfaite, Margot, jamais je ne le prétendrai.

Son bras s'allongea comme un élastique et elle saisit la jeune fille par la gorge, avant de la soulever de terre.

— Mais je mérite un peu de respect dans ma propre maison, ajouta-t-elle.

— Lui fais pas de mal, Maman, s'écria Henry, qui était sorti de sa cachette.

— Bats-toi, Henry... parvint à lui dire Margot.

Le bras de la créature s'enroula autour du cou de la jeune fille. Celle-ci remuait les pieds et manquait d'air.

— Je ne sais pas comment tu as fait pour arriver jusqu'ici, murmura sa mère. Mais tu as échoué. Et une fois que tu seras partie, je vais infliger à ton petit frère des tortures dont tu ne peux imaginer la cruauté. Des supplices sans fin...

Alors que Margot, impuissante, restait suspendue au-dessus du sol, Kwik grimpa le long de la longue jupe de la créature puis rejoignit son dos. Margot tendit le cou et aperçut Henry.

Son visage n'était plus déformé par la peur, mais par la colère.

— Repose-la, ordonna l'enfant. T'as pas intérêt à faire du mal à ma sœur.

Les yeux de la créature s'agrandirent, tandis que le rongeur courait le long de son bras.

— Dis à cette bestiole de descendre, répondit-elle. Dis-lui de descendre tout de suite, ou j'arrache la tête de ta sœur.

— Non ! se rebiffa le petit garçon. Lâche-la, je t'ai dit !

Le hamster enfonça ses dents dans le poignet de la créature, entaillant son bras dans la longueur. Celle-ci poussa un cri perçant. De la fumée s'échappa de la blessure à vif. Margot en profita pour desserrer les doigts qui l'étouffaient et retomba sur le sol.

Elle se releva tant bien que mal et courut rejoindre son frère, qui se contentait de dévisager la femme gémissante qui lui faisait face, cette créature qui n'était pas sa mère.

— Allez, Henry ! On s'en va !

Margot l'entraîna vers l'escalator, qui les emporta très vite à l'étage du dessus. Là, les escaliers disparurent derrière un mur de carreaux couvert de moisi. Ils se trouvaient dans un des couloirs de l'hôpital.

Une troupe d'enfants surgit à l'autre bout du corridor. Ils avançaient vers eux d'un pas traînant. Le visage blême et les yeux vides de toute expression, ils portaient des blouses en lambeaux et paraissaient souffrir. Ils étaient déjà morts, mais leurs blessures diverses et variées suintaient encore.

Margot prit la main tremblante de Henry dans la sienne.

— N'aie pas peur. Ils ne sont pas réels. Contente-toi de me suivre, on va les croiser et les dépasser.

Ils se frayèrent un passage dans la foule fantomatique. Les petits morts-vivants poussaient des gémissements et leurs mains minuscules essayaient d'attraper le frère et la sœur. Henry, blotti contre Margot, s'efforçait de regarder droit devant lui.

— Ne t'en va pas, Henry, miaulaient certains.

— Reste, ne nous abandonne pas, le suppliaient d'autres.

Bientôt, leur tristesse céda la place à la colère.

— Il n'y a pas de sortie, siffla l'un d'eux.

— Pas de sortie, répétèrent les autres.

— Viens ! s'écria Margot.

Son frère et elle fendirent la foule en courant et ne s'arrêtèrent pas, remontant couloir après couloir. Aucune sortie n'était pourtant visible. À chaque tournant, il devait affronter une nouvelle troupe de morts-vivants. Soudain, ils entendirent des talons cliqueter sur le sol.

Les créatures se rapprochèrent d'eux. Les bruits de pas aussi.

Mais Henry ne pouvait plus bouger.

— Ils ne sont pas réels, Henry ! C'est ta peur qui est réelle ! Est-ce que tu comprends ? s'écria Margot. C'est elle qui nous retient ici, pris au piège. La Vore pense que tu n'es qu'un petit gamin mort de trouille ! ajouta-t-elle en le secouant par les épaules. T'en as pas marre d'avoir peur ?

— Si.

— Dans ce cas, surmonte-la. Il y a un ascenseur dans le coin, quelque part. Dis-moi où il est.

Une petite fille tendit la main vers Henry et sa silhouette spectrale le traversa. L'enfant se mit à hurler.

— Il faut que tu te calmes, tu verras, ces fantômes ne peuvent rien contre toi.

Henry serra la main de sa sœur dans la sienne et ferma les yeux. Les morts-vivants essayaient d'avancer, mais s'évanouissaient devant le corps du petit garçon.

— C'est bien, Henry. Montre à cette créature qu'elle ne te fait plus peur.

Les fantômes s'immobilisèrent, comme si une force invisible s'était interposée entre eux et leurs proies.

Soudain, l'ascenseur apparut.

— Bravo !

26

Hormis son bras blessé et couvert d'ampoules, posé à plat sur la glace, Quinn était complètement immergé. Pourtant, il serrait la cheville d'Alex avec l'assurance de ceux qui se savent proches de la mort.

Alex hurlait, si fort qu'il en était tout enroué. Son regard terrifié allait et venait entre les corps allongés de ses amis et l'eau noire vers laquelle il glissait. Quinn était plus lourd que lui, et quand il sombrerait, il l'entraînerait avec lui. Alex s'assit et se mit à frapper et griffer la main de l'autre garçon, mais ce dernier tenait bon.

Une lumière s'alluma de l'autre côté du lac. Alex se tourna vers le parking et aperçut des phares briller dans sa direction.

Une silhouette se découpa sur la neige, près des phares, et s'engagea sur le lac gelé, d'un pas prudent mais alerte.

La glace se fendillait autour du trou, un bruit sec. Alex se mit à appeler à l'aide. Margot, Henry, la personne qui se dirigeait vers lui, Dieu, n'importe qui. Personne ne lui répondit.

La silhouette se rapprochait à pas posés. L'inconnu se servait d'une canne afin de garder l'équilibre.

Alex glissa un peu plus et ses jambes se retrouvèrent dans l'eau. La Vore attrapa la ceinture du jeune homme et tenta de se hisser hors du trou, mais ne réussit qu'à entraîner Alex un peu plus profondément.

La vision de ce dernier se troubla. Il lui fallut un moment pour reconnaître le visage qui lui faisait face.

— Eben... mais comment... ?

Le vieil homme posa sa canne, se pencha vers Alex et défit la boucle de ceinture du jeune homme de ses doigts agiles. Puis il le tira hors de l'eau. Sous le poids de Quinn, la ceinture glissa. Alex était libre.

Eben attrapa Quinn par le poignet et tira.

— Non ! s'écria Alex. C'est l'une d'elles !

Quinn fendit la surface de l'eau, méconnaissable. Des lambeaux de peau noircie et flétrie pendaient de son visage et de ses bras. Eben n'avait pas lâché son poignet et l'observait d'un air impassible, ni effrayé, ni horrifié. On aurait dit un pêcheur, nullement impressionné par sa prise.

Le visage boursouflé et ruisselant de Quinn fixa Eben.

— *Vous...* dit la Vore d'une voix sourde. *Nous vous avons tué, il y a longtemps.*

Eben demeura silencieux. D'un seul geste, il tordit le poignet de la créature, qui se brisa net, comme du petit bois, puis le relâcha.

La Vore ouvrit grand la bouche. De la fumée, plutôt qu'un cri, en sortit. Des spirales aussi, qui s'échappaient de ses yeux, de ses narines, et s'élevaient au-dessus de sa tête. La créature vaporeuse diminua de volume et fut bientôt de la même taille et de la même noirceur que la Vore du sous-sol de la maison de Macie – une ombre plus sombre que la nuit, qui enveloppa Alex et Eben, enroulant des griffes de fumée autour de leur cou ; des manœuvres inoffensives car la Vore n'avait aucune force physique.

Pareille à un cerf-volant maléfique, la créature s'étirait et se tordait en tous sens, arrimée au corps qui sombrait.

Un éclair de lucidité traversa le regard de Quinn.

— Alex ? murmura-t-il.

Puis il s'enfonça, emportant la Vore avec lui au fond de l'eau glaciale.

Saisi d'une quinte de toux, Eben se pencha pour ramasser sa canne. Quand Alex croisa les yeux du vieil homme, ils lui semblèrent empreints d'une profondeur inhabituelle, ou peut-être d'une froideur que le jeune homme n'avait jamais décelée auparavant. Le sourire d'Eben lui remua l'estomac.

— Qu'est-ce que vous faites ici ? Comment saviez-vous que…

— Tais-toi un peu, Cole, et relève-toi. Un autre travail nous attend.

27

Margot et Henry s'engouffrèrent dans l'ascenseur, mais le bruit des talons se rapprocha encore, et du givre se forma à l'intérieur de la cabine. Quand l'enfant appuya sur le bouton, ses doigts restèrent collés à la surface gelée. Leur mère apparut à l'autre bout du couloir obscur.

— Comment ? On s'enfuit de la maison ? Quelle honte !

Margot cogna sur le bouton. Les portes se refermèrent avec un gémissement de glace qui se brise. La cabine se mit en marche, accéléra puis se renversa à l'horizontale. Henry et Margot se cognèrent contre le mur à l'instant même où la musique jazzy un peu ringarde s'évanouissait et que les lumières s'éteignaient. Les vers et les asticots pénétrèrent dans le cercueil pourrissant et se répandirent sur le frère et la sœur, enflant et grossissant au même rythme que la peur croissante du petit garçon.

— Te laisse pas faire, Henry ! cria Margot. Ils n'ont pas à te faire peur. Sers-toi d'eux ! Oblige-les à creuser pour nous. Tu as dit que tu en avais assez d'avoir peur, alors aide-nous à sortir de là ! Allez !

Henry ferma les yeux. Margot sentit les vers lutter avec une détermination féroce contre la volonté de l'enfant. La jeune fille savait comment combattre ses peurs, mais pour Henry, cela restait une autre paire de manches.

— Creusez ! ordonna l'enfant. Creusez vers le haut !

Margot sentit le bois et la terre se dissoudre autour d'eux. Les vers obéissaient. En quelques instants, ils furent à la surface.

Mais c'était aussi le cas des autres corps qui peuplaient le cimetière. Tout autour d'eux, des cadavres surgissaient de terre ; certains, arrivés récemment, étaient couverts de chair en décomposition et de robes en haillons ; d'autres n'étaient plus qu'ossements et cheveux rêches.

— Merde, Henry ! Arrête ça !

Margot aida son frère à sortir de la tombe et l'entraîna vers la pente, en direction du palais des glaces.

— Ta peur aggrave les choses, Henry ! Il faut te calmer, merde !

— T'as dit un gros mot, deux fois !

Margot leur fraya un chemin parmi la foule de cadavres ; sa volonté était si farouche qu'ils s'effondraient sur son passage ou tombaient en poussière. Henry restait sur ses talons, stupéfait de découvrir que sa sœur pouvait se montrer aussi forte.

En bas de la colline, ils entrèrent dans le palais des glaces à l'instant où la Vore qui se faisait passer pour leur mère sortait de la tombe de Henry. À l'intérieur du bâtiment, d'atroces reflets se succédaient dans les miroirs.

— Ne les regarde pas, conseilla Margot à son frère. N'aie pas peur de cet endroit !

Ils sortirent du labyrinthe, s'élancèrent dans le cylindre tourbillonnant et quittèrent l'endroit.

— Comment es-tu entré ici ? lui demanda Margot.

— De ce côté, répondit le petit garçon en indiquant le

tourniquet rouge que Margot avait passé lors de sa première visite.

— Dans ce cas, c'est par là que nous allons sortir.

Ils traversèrent le manège. Là, d'horribles grognements métalliques appelèrent l'enfant. Les bêtes hideuses qui remplaçaient les chevaux de bois s'arrachèrent du sol. Des gargouilles ailées, des démons et des chevaux cauchemardesques se détachèrent des poteaux de métal et pourchassèrent Margot et Henry jusque dans l'allée centrale de la fête foraine. De tous côtés, des enfants aux yeux fumants se réjouissaient et sifflaient.

— Hé ! Regardez ! C'est l'autre poule mouillée et sa débile de sœur ! s'écria le garçon aux lunettes. Où tu cours comme ça, poule mouillée ?

— Vous feriez mieux de ne pas faire les malins ! lança une fillette blonde. Berzerko est fou de rage contre vous, maintenant !

Ils voyaient l'entrée et le tourniquet rouge qui marquaient la fin du territoire de la terreur de Henry, mais avant de pouvoir l'atteindre, ils entendirent le klaxon strident du clown. Celui-ci arriva en sautillant dans l'allée centrale, leur barrant le passage.

Au même instant, une nuée grouillante de gargouilles et de démons se jetèrent sur eux, dents, cornes et ailes mêlées. L'une des gargouilles s'empara de Margot et ses serres la plaquèrent sur le sol couvert de sciure.

Henry, lui, se tenait au centre de l'allée, à demi paralysé. Les enfants les huaient et applaudissaient, quand un cri de rage les fit tous taire.

— *Espèce de sales gosses !*

Tous les enfants démoniaques eurent un mouvement de recul. Les bêtes du manège, tout à coup peureuses, se turent, et même le clown n'osait pas faire un seul mouvement. Une seule peur les avait tous envahis. Une peur capable de franchir toutes les frontières et de submerger cet univers en son entier ; une terreur capable de figer le temps.

La Vore qui se prenait pour leur mère.

En boitant, elle se dirigeait vers Henry, une chaussure à talon dans la main qui lui restait.

— J'ai essayé d'être une bonne mère, Henry, commença-t-elle, tandis que le sol qu'elle foulait gelait aussitôt. Mais tu as simplement refusé d'être un bon fils. Regarde ce qui m'arrive, à cause de toi, dit-elle en levant son bras noirci. Et tu te demandes pourquoi je t'ai abandonné ? Allez, viens, rentre à la maison avec maman.

Elle lâcha sa chaussure et tendit la main vers la joue de l'enfant.

Celui-ci sortit la photo de sa poche de chemise.

— Tu nous as laissés, dit-il tout en pleurant à chaudes larmes.

— Évidemment, espèce de petit crapaud. C'est toi et ta fichue sœur qui m'avez obligée à partir. Je ne pouvais plus supporter d'être avec toi une minute de plus. Tu n'arrêtais pas de te plaindre. De vouloir des choses. De prendre, prendre, prendre...

— Ce n'est pas de ta faute, Henry, s'écria Margot.

Mais sa voix était plus faible qu'une bouffée de fumée.

— Et si c'était vrai ? s'écria le petit garçon. Et si c'était vraiment ma faute ?

La bouche de la Vore s'étira et se transforma en trou noir caverneux. Une gueule béante, pareille à un cyclone, prête à aspirer le petit garçon.

L'air se mit à tourbillonner avec rage et Margot eut

l'impression que des petits morceaux d'elle étaient arrachés par ce souffle, puis disparaissaient dans le vide du territoire de la terreur.

Henry était en train de perdre la partie.

— Je crois qu'elle a fait de son mieux pour s'occuper de nous, Henry, chuchota la jeune fille. Mais quelque chose s'est passé en elle. Une chose qui a fait qu'elle a préféré partir.

La Vore se dressait au-dessus de Henry. Tout autour d'eux, le sol gelait.

— Maman a manqué de courage, Henry, poursuivit Margot. C'est elle qui avait peur. Et elle n'a pas pu affronter cette peur. Mais toi, tu vas t'en sortir. On s'est entraînés ensemble, tu te souviens ?

L'enfant se rappellerait-il la conversation qu'ils avaient eue un soir ? Margot avait l'impression qu'elle remontait à des lustres.

— Oui, c'est vrai, on s'est entraînés, dit lentement Henry, comme s'il cherchait à retrouver un souvenir longtemps enterré. Je te crois, Margot, ajouta-t-il d'une voix douce, en se tournant vers sa sœur.

Derrière le petit garçon, Berzerko brandit sa hachette. La lame sanglante étincela dans la lumière terne.

L'enfant contempla la photo de sa famille, dernier vestige d'amour et de chaleur humaine.

— Je t'aime, maman. Mais on va s'en sortir sans toi, maintenant.

L'image déformée de sa mère se pencha vers lui, prête à avaler l'enfant, et, au même instant, la hachette retomba. La lame du clown trancha le cou de la Vore. Des cheveux bruns, semblables à des rubans, tourbillonnèrent et dansèrent dans la brise, puis la tête tranchée roula au sol.

— Mince ! Je crois qu'il a raté son coup, constata le garçon à lunettes.

Le clown trébucha vers l'arrière, tandis que de la fumée sortait de ses yeux et de sa bouche. Il trembla violemment, comme si on venait de l'électrocuter, avant de disparaître dans une colonne de flammes dorées. Seule la main-hachette resta au sol, brûlante. Puis, bientôt, elle disparut à son tour.

Tout autour d'eux, les créatures et les enfants se fissuraient avant d'exploser, laissant derrière eux des éclairs d'un blanc lumineux.

Un rugissement assourdissant secoua le monde autour d'eux quand le corps de la Vore se déforma et se liquéfia, comme de la peinture à l'huile s'écoulant dans un caniveau. Bientôt, il ne resta plus que Margot, Henry et le tourniquet rouge.

La jeune fille serra son frère dans ses bras.

— Tu as réussi, Henry. Tu as combattu tes peurs les plus terribles, et tu as *gagné*.

Un instant, il demeura tout mou dans ses bras, puis la serra à son tour.

Épuisés, ils s'avancèrent vers le tourniquet.

— Henry, reprit Margot. J'ai quelque chose à te dire avant qu'on sorte d'ici. Nos corps sont peut-être encore en danger et il est possible que…

— T'inquiète. Il peut bien arriver n'importe quoi, je n'ai pas peur.

— Moi non plus. Allez, après toi, dit-elle en indiquant le tourniquet.

Elle perçut une très légère odeur de pop-corn beurré qui persistait.

Henry passa le tourniquet et Margot le suivit.

Derrière eux, le paysage s'effondra dans son intégralité.

28

Margot chercha à reprendre sa respiration puis poussa un gémissement.

— Margot ! cria Alex. Tu es en vie ?

Le brouillard noir qui avait envahi son esprit s'éclaircit et l'air glacial la fit revenir au monde réel avec un sursaut. Elle ouvrit les yeux.

— Oui, je suis vivante.

— Ce qui risque de ne pas durer longtemps si nous restons sur ce lac, fit observer Eben.

— Henry…

La jeune fille s'agenouilla tant bien que mal et baissa les yeux vers son frère. Les brûlures qui parsemaient son corps et son visage s'étaient estompées ; ne restaient que des marbrures qui ressemblaient à des hématomes. Mais sa peau était d'une pâleur bleutée et il frissonnait violemment. Certains de ses orteils et de ses doigts étaient noirs.

— Oh, bon sang… laissa-t-elle échapper, le souffle coupé.

Eben ôta son manteau de laine et en enveloppa le petit garçon.

— Je m'en occupe, dit Eben.

— Eben… ! Mais que fais-tu ici ?

— On parlera une autre fois, répondit le vieil homme. Cet enfant a besoin de soins médicaux en urgence.

Les yeux de Henry s'ouvrirent brusquement, dilatés, perdus. Eben le souleva de terre et les frissons de l'enfant s'apaisèrent, mais sa respiration paraissait plus faible encore.

— Tiens bon, Henry, lui dit Alex. On va te réchauffer.

La canne glissée sous le bras, Eben ramena le petit garçon jusqu'à la rive en boitant. Il pendait dans ses bras comme une chiffe molle. Alex enfila son blouson et Margot et lui suivirent le vieil homme en se soutenant l'un l'autre.

— Déposez-le dans la voiture, dit Alex à Eben, alors qu'ils atteignaient la rive. J'ai des provisions.

Il alla chercher un sac marin dans le coffre et Eben allongea Henry sur la banquette arrière. Puis il détacha ses liens. Avant même qu'Alex pût dire un mot, Margot lui arracha le sac des mains et en sortit des serviettes et des couvertures avec agitation. Une Thermos roula sur le sol.

— Il est tout bleu, dit-elle d'une voix derrière laquelle pointait une certaine panique.

— C'est la cyanose, expliqua Eben, un problème de circulation sanguine. Calme-toi et sèche-le doucement.

Le vieil homme enveloppa la bouteille Thermos dans une serviette et la plaça sur le torse de l'enfant, tandis qu'Alex emmaillotait ses pieds et ses mains noircies. Margot entourait son frère de couvertures. Pourtant, il demeurait aussi immobile qu'un cadavre.

— Henry, dit-elle en se penchant au-dessus de lui pour lui caresser les cheveux. Henry, nous avons réussi. Réveille-toi, je t'en prie…

Le petit garçon inspira profondément, puis remua.

— Margot, répondit-il d'une toute petite voix, endormie et pâteuse.

— Oui, je suis là, le rassura-t-elle, les larmes aux yeux.

— La Vore a jailli de son corps alors qu'il était encore dans les vapes, sur la glace, expliqua Alex en posant la main sur l'épaule de son amie. Et elle a... disparu, c'est tout. Tu l'as vaincue.

— Non, pas moi. Henry.

Henry referma les yeux et sombra dans le sommeil, mais sa respiration se fit plus régulière et il reprit des couleurs. Eben s'accroupit afin de l'examiner. Le lobe de son oreille gauche était noirci.

— Il faut l'emmener à l'hôpital.

— Eben, s'il te plaît, dis-moi ce que tu fais ici, voulut savoir Margot.

— Il m'a sauvé la vie, répondit posément Alex. Il a arrêté Quinn.

Le vieux libraire se releva lentement. Son visage était aussi dur que du granit. Son ombre allongée, projetée par les phares de la Cadillac, se répandait sur la jeune fille.

— Je regrette qu'on en soit arrivé là mais les événements ont pris une tournure imprévisible.

— Mais... qui êtes-vous ? demanda Margot en reculant.

Elle avait l'impression d'être face à un inconnu intimidant, et non à celui qu'elle considérait comme un second père.

— Je suis un vieux soldat qui mène une guerre que vous découvrez à peine.

— Bon sang... dit Alex d'une voix éteinte. Vous *saviez*. Depuis le début, vous *aviez compris*. Mais alors, pourquoi...

— Écoutez-moi attentivement, le coupa Eben. La batterie de cette horreur est morte, dit-il en indiquant le 4 × 4 d'Alex. Je vais tâcher de la faire redémarrer avec ma voiture. Mais pour l'instant, écoutez-moi tous les deux. Vous voyez cet amas d'étoiles, là-haut ? demanda-t-il en pointant le doigt vers le ciel.

Un astérisme isolé, pareil à une poignée de saphirs bleus, scintillait plus que les autres.

— Quoi donc ? Vous voulez parler des Pléiades ?

— Très bien, Alex. Je me doutais que l'astronomie t'intéressait. C'est l'heure où les Pléiades sont les plus visibles.

— T'as perdu la tête ? s'exclama Margot d'un ton sec. Je ne vois pas en quoi ça nous concerne !

— Mais si, rétorqua le vieil homme. C'est ce que vous êtes venus contempler ce soir, loin des lumières de la ville, sur l'étendue glacée du lac. Malheureusement, le pauvre Henry est tombé dans l'eau. Vous lui avez ôté ses vêtements, vous l'avez enveloppé dans une couverture et vous avez foncé aux urgences. Voilà ce qui s'est passé. N'en démordez pas.

— Qu'est-ce qu'on fait de la voiture de Quinn ? voulut savoir Alex.

— Je m'en charge. J'en connais un rayon, quand il s'agit de faire disparaître quelqu'un. Allez, on se bouge.

Epilogue

Assise à l'arrière du 4 × 4, Margot tenait gentiment son frère frissonnant dans ses bras. Elle avait ôté les bandages mouillés et effilochés qui entouraient ses mains. Des lésions noires s'entrecroisaient sur ses phalanges, là où les miroirs les avaient coupées, et l'épaule dans laquelle les serres de la gargouille s'étaient enfoncées la cuisait.

Elle examina son reflet dans la vitre. Une casquette tricotée recouvrait ses cheveux carbonisés et des cernes prononcés entouraient ses yeux.

Mais Henry était sain et sauf. Et rien d'autre n'avait d'importance.

Alex mit le contact et le moteur ronronna. En quelques secondes, des ondes de chaleur envahirent l'intérieur de la voiture. Eben fit demi-tour et s'éloigna dans la nuit.

— Où est passé Quinn ? voulut savoir la jeune fille. Qu'est-ce qui lui est arrivé ?

— Il a... disparu.

Alex savait que Quinn avait tenté de le tuer, qu'il était une Vore ; pourtant, il ne pouvait s'empêcher de penser au vrai Quinn, au Quinn qui était resté enfermé dans son territoire de la terreur des années durant, plus longtemps que Henry ne l'avait été. Et il se demandait comment la petite ville prendrait la mort de ce jeune homme prometteur, à qui tout souriait.

— Allez, emmène-nous aux urgences. Dépêche.

Le jeune homme fit demi-tour et partit en direction des quelques lumières encore allumées dans la ville endormie.

— Je ne pensais pas que vous reviendriez, Margot. Je vous croyais perdus, tous les deux.

La jeune fille déposa un baiser sur le crâne de son petit frère et caressa l'auriculaire noirci de sa main droite.

— C'est un dur à cuire, ce gamin, tu sais.

— Comme sa sœur.

La croix rouge lumineuse qui indiquait l'entrée des urgences de l'hôpital local apparut. Alex s'engagea dans l'allée circulaire.

Margot descendit de voiture, souleva Henry et referma la portière du pied. Son ami baissa sa vitre.

— Vas-y. Va retrouver Eben. Et appelle mon père. Dis-lui… dis-lui qu'on a besoin de lui.

— Margot ? Quinn m'a affirmé que… commença-t-il d'une voix dure, qu'il y en aurait d'autres. Des tas d'autres.

— Quinn est mort, maintenant. Tout comme la Vore qui vivait dans le sous-sol et celle qui possédait Henry. Nous avons survécu.

Tout en répondant, elle se rappela la voix atroce de la créature qui avait parlé par le biais des lèvres de son frère : *« Je serai toujours là. »*

— Mais elles vont revenir, elles vont s'en prendre à nous, rétorqua Alex. Elles vont vouloir se venger de toi.

Margot porta son frère en direction de la lumière blanche, vive et chaleureuse de l'entrée des urgences, tandis que de légers flocons se mettaient à tomber. Eben avait parlé d'une guerre. Et il avait raison.

— Qu'elles viennent, répondit-elle sans se retourner. Je serai prête.

Le cauchemar est loin d'être terminé.
Margot sait que les Vores sont partout...
Combien de temps pourra-t-elle
continuer à leur échapper ?

Voici les premières pages du tome 2 de

Les yeux fermés, j'ai senti une odeur de popcorns beurrés et de barbe à papa parvenir jusqu'à moi ; j'ai entendu les tintements des jeux vidéo, tandis que le soleil réchauffait ma peau. J'ai pris une longue inspiration puis entrouvert les paupières en souriant à la perspective de la journée à venir.

Pourtant, la fête foraine était déserte. Sons, odeurs : rien n'avait disparu, mais personne n'était là pour en profiter. Je me tenais sur la plateforme de la grande roue. Les petites voitures achevaient leur parcours, formant un arc coloré dans le ciel, mais aucun technicien ne supervisait l'attraction.

Une voiture bleue est arrivée à la hauteur de la plateforme. Sur le siège, j'ai aperçu une rose, à laquelle on avait accroché une carte. Et, sur la carte, on avait inscrit mon nom. Au comble de la joie, je me suis précipitée vers la voiture et me suis emparée de la fleur. Celle-ci avait une odeur âcre et quand j'ai déchiré l'enveloppe, je me suis coupé le doigt sur le papier tranchant. Du sang a coulé sur le sol. Mon doigt me faisait mal. J'ai baissé les yeux et, horrifiée, j'ai vu des sangsues émerger en rampant du sable, laissant derrière elles une traînée noire et gluante, et se mettre à aspirer le sang en faisant des bruits de succion.

Au même instant, j'ai senti quelque chose qui me pinçait l'épaule. J'ai tressailli : l'une des sangsues s'était accrochée à moi. La bouche ventousée à ma peau, elle me suçait le sang. Écœurée, je l'ai aussitôt chassée du revers de la main avant de l'écraser sous ma chaussure. J'ai examiné mon bras, où elle avait laissé des marques noires. Malgré tout, je n'éprouvais aucune douleur. J'ai alors regardé le message qui accompagnait la rose.

« Rendez-vous au Bateau de l'Amour ».

Mon cœur s'est emballé. Impatiente, je me suis empressée de traverser la fête foraine jusqu'à l'attraction en question : une simple barque qui descendait une rivière souterraine – en réalité, un canal artificiel creusé à l'intérieur d'un des bâtiments. Mais là, régnaient le silence et l'obscurité : un endroit idéal pour s'embrasser. Et il voulait m'y rencontrer...

Le petit bateau attendait, amarré au quai. Il était vide, mais un autre message était posé sur le siège.

« Pars sans moi, je te rejoindrai bientôt. »

Je me suis installée dans la barque, qui s'est mise à dériver en s'enfonçant dans les ténèbres. Quelques lueurs rosées parsemaient la surface de l'eau devant moi et un parfum a embaumé l'air. J'ai regardé par-dessus bord : la rivière était couverte de pétales de rose. Il les avait laissés pour moi ! J'ai trempé la main dans l'eau, en ai ramassé une poignée, les ai plaqués sous mon nez...

Et j'ai poussé un hurlement. Ce n'était pas des pétales de roses, mais des oreilles rouge sang. Mes cris résonnaient dans la grotte, mais je ne pouvais pas faire marche arrière, seulement avancer.

Devant moi, la rivière disparaissait dans l'obscurité. Je l'ai appelé, mais il n'a pas répondu. Le bateau avançait toujours, quand l'air est soudain devenu atrocement glacial. Puis l'eau a commencé à se solidifier. Envahie par la peur, je ne pouvais rien faire, hormis attendre la suite des événements. Tout à coup, l'embarcation a basculé. J'ai poussé un cri perçant et me suis sentie tomber le long d'une chute d'eau.

La barque s'est écrasée sur les vagues en contrebas tandis que je sombrais sous l'eau, comme si des pierres étaient attachées à mes chevilles. Je me suis enfoncée de plus en plus profondément, la peau frigorifiée, tandis que je sentais mes organes se solidifier dans l'eau glacée.

J'ai fini par atteindre le fond : mon amour était là, emmêlé dans des algues, la peau plus blanche que la neige, les lèvres plus bleues que le ciel, les yeux écarquillés, plus noirs que la nuit. Ses boucles brunes flottaient de chaque côté de son visage qui avait été si beau. Il regardait droit devant lui, désormais aveugle, quand un crabe est sorti de sa bouche. J'ai voulu regagner la surface mais mon amour a attrapé mon pied afin de m'en empêcher et s'est mis à le serrer si fort que j'ai senti ses doigts s'enfoncer dans ma chair, jusqu'à l'os. J'étais coincée sous l'eau, à la merci des petits poissons qui rongeaient ma peau et dévoraient mes yeux…

Margot se redressa dans son lit, le souffle court.

— Rien qu'un rêve… marmonna-t-elle. Toujours le même rêve…

Immobile, elle tâcha de reprendre sa respiration et de détendre ses muscles tendus. Parfois, les détails du rêve variaient, mais le dénouement était toujours le même.

Épuisée, frustrée, elle se frotta les yeux. Comment faire pour qu'il ne revienne pas ? Elle alluma sa lampe de chevet et but une gorgée d'eau. Son regard tomba sur son cahier d'histoire posé sur la table. Sans réfléchir, elle arracha une feuille, prit un stylo et se mit à écrire ce qu'elle se rappelait du rêve.

Un bruit la fit relever la tête.

— Qui est là ?

— C'est moi, répondit son frère Henry en entrant dans la chambre. J'ai fait un cauchemar.

— Décidément, c'est pas ça qui manque dans le coin. Allez, grimpe.

Le petit garçon plongea sur le lit de sa sœur et se blottit contre elle. Il ne tarda pas à se rendormir profondément.

Mais Margot resta longtemps éveillée. En se demandant si les cauchemars disparaîtraient un jour.